CW01064459

La memoria

734

DELLO STESSO AUTORE

Testimone inconsapevole
Ad occhi chiusi
Ragionevoli dubbi

Gianrico Carofiglio

L'arte del dubbio

Sellerio editore
Palermo

2007 © *Sellerio editore via Siracusa 50 Palermo*
e-mail: info@sellerio.it
www.sellerio.it
2007 *dicembre quinta edizione*

Carofiglio, Gianrico

L'arte del dubbio / Gianrico Carofiglio. - Palermo : Sellerio, 2007.
(La memoria ; 734)
EAN 978-88-389-2249-7
853.914 CDD-21

CIP - *Biblioteca centrale della Regione siciliana «Alberto Bombace»*

L'arte del dubbio

Prefazione

Un uomo era accusato del reato di lesioni per aver staccato con un morso un pezzo d'orecchio al suo avversario durante un litigio. Il pubblico ministero aveva esaminato il principale teste d'accusa, presente al fatto: toccava dunque al difensore dell'imputato procedere al controesame per cercare di incrinare l'attendibilità della deposizione.

Avvocato: Allora, lei afferma che il mio cliente ha staccato l'orecchio alla persona offesa?

Teste: Sì.

Avvocato: A che distanza dalla colluttazione si trovava lei?

Teste: Una ventina di metri, forse anche di più.

Avvocato: Che ora era, più o meno?

Teste: Le nove di sera.

Avvocato: Ed eravate nel parcheggio del supermercato, all'aperto, esatto?

Teste: Sì, esatto.

Avvocato: Era ben illuminato?

Teste: Non molto.

Avvocato: Si può dire che il tutto è accaduto nella semioscurità?

Teste: Sì, più o meno. Insomma, non c'era molta luce.

Avvocato: Quindi mi faccia riepilogare: il fatto è accaduto alle nove di sera, in un parcheggio male illuminato e lei si trovava a più di venti metri dal punto specifico in cui si svolgeva l'azione. È esatto?

Teste: È esatto.

A questo punto – dicono i manuali – il difensore avrebbe dovuto fermarsi. Aveva ottenuto un risultato utile e durante la discussione avrebbe potuto attaccare la testimonianza, sostenendo che in quelle condizioni era impossibile riuscire a vedere l'azione del morso. Una delle regole fondamentali della *cross-examination* è quella di non fare una domanda di troppo, perché un risultato brillante potrebbe venirne sciupato o addirittura capovolto.

In questo caso l'avvocato non si attenne alla regola. Vediamo l'epilogo del controesame.

Avvocato: E lei vuol farci credere che in queste condizioni è riuscito a vedere il mio cliente che staccava un piccolo pezzo di orecchio al suo avversario?

Teste: Ma io non l'ho visto mentre lo staccava...

Avvocato: Allora come fa a sostenere che ...

Teste: ... l'ho visto mentre lo sputava subito dopo.

Dieci anni fa scrissi e pubblicai con l'editore Giuffrè un libro sulle tecniche di interrogatorio, destinato agli addetti ai lavori e costruito sulla riproduzione e sullo studio di veri verbali, tratti da veri processi. L'idea alla base di quella impostazione era che la capacità di interrogare efficacemente i testimoni in un processo penale non si possa sviluppare in teoria, ma solo analizzando l'esperienza e traendo da essa gli insegnamenti su quello che si deve e, soprattutto, su quello che *non* si deve fare.

Date queste premesse era ragionevole attendersi – come in realtà accadde – che il libro incontrasse il favore degli specialisti: magistrati e, soprattutto, avvocati.

La cosa inattesa fu, però, che il libro finì anche nelle mani di tanti che lo lessero come una raccolta di racconti, sorprendentemente appassionandosi ai dialoghi, alle storie e ai personaggi.

La tiratura di quel manuale – esigua come tutte quelle dei testi giuridici – andò presto esaurita e il libro pareva destinato a sopravvivere solo in qualche biblioteca universitaria, in qualche studio legale e sugli scaffali dei non addetti ai lavori che si erano dedicati a una lettura così improbabile.

Inizio del 2007. Un editore e uno scrittore chiacchierano di libri. Molte cose sono successe, nel frattempo.

«Pensavo che sarebbe bello rifare quel tuo libro sul controesame», dice a un certo punto l'editore. «Ovviamente dovresti eliminare le parti giuridiche, semplificare qualche passaggio, ma insomma, io mi sono divertito molto a leggerlo, e non ho mai avuto niente a che fare con il diritto».

Il risultato di quella conversazione ce l'avete fra le mani ed è la nuova versione di quel manuale. Sono state eliminate le parti strettamente giuridiche, è stato semplificato – vorrei dire: bonificato – il linguaggio, c'è un titolo nuovo cui ci siamo subito affezionati, per molte ragioni. Che saranno chiare a chiunque abbia la pazienza di leggere fino in fondo. Ma nella sostanza il libro è lo stesso, anche se ora è deliberatamente rivolto (anche) a un pubblico non tecnico.

Ci sono ancora indicazioni di tattica e strategia processuale e ci sono ancora spunti di riflessione sul rapporto fra linguaggio, persuasione e verità. E soprattutto ci sono le storie. Incorporate, ma non intrappolate nei verbali. Storie ridicole, come quella raccontata all'inizio di questa prefazione; storie avvincenti; storie drammatiche o tragiche. Schegge del reale, pezzi di vita che, raccontati sul palcoscenico del processo, diventano modelli del mondo. Perché, in fin dei conti, questo è sempre stato un libro di storie e *sulle* storie. «Perché le storie sono tutto quello che abbiamo».

Bari, ottobre 2007

1
Linguaggio e verità

«Per capire che una risposta è sbagliata non occorre una intelligenza eccezionale, ma per capire che è sbagliata una domanda ci vuole una mente creativa».[1]

La riflessione sia teorica che pratica su qualsiasi professione che preveda la proposizione di domande e includa la prerogativa di attendere, o addirittura pretendere, delle risposte deve tenere conto della verità custodita in questa massima.

Ottenere date risposte piuttosto che altre, in molteplici campi dell'agire umano, dipende non solo e non tanto dal substrato di informazioni e conoscenze in possesso dell'interrogato e dal suo livello di sincerità, ma anche dai modi e dai contesti in cui la domanda è posta.

Per comprendere in pieno il senso di questa affermazione è necessario spendere qualche parola sul funzionamento della comunicazione umana e sul rapporto, per certi aspetti misterioso, che esiste fra comunicazione e realtà.

I meccanismi della comunicazione non sono entità neutre rispetto al loro oggetto, vale a dire rispetto ai fatti, alle informazioni, alle conoscenze, insomma,

13

complessivamente, rispetto a ciò che siamo soliti chiamare realtà. La comunicazione non è semplicemente uno strumento per rappresentare oggetti da essa separati o in essa contenuti; essa invece condiziona costitutivamente la struttura stessa dei fatti e delle conoscenze. Come è stato provocatoriamente affermato da un celebre studioso del comportamento umano: «la comunicazione crea quella che noi chiamiamo realtà».[2]

Questa affermazione, dall'apparenza paradossale, prende le mosse dalla constatazione del carattere illusorio delle nostre idee tradizionali sulla realtà. Metafisicamente illusoria in particolare, è la fiducia nell'esistenza di un'unica realtà, quando «in effetti esistono molte versioni diverse della realtà, alcune contraddittorie, ma tutte risultanti dalla comunicazione e non riflessi di verità oggettive, eterne».[3] Nel film *Rashomon* del regista giapponese Kurosawa questo concetto è sviluppato meglio che in qualsiasi riflessione teorica.

L'opera cinematografica narra di un samurai assassinato mentre, con la moglie, attraversa una foresta. L'episodio viene raccontato da diversi soggetti e cioè il brigante autore dell'omicidio, la moglie del samurai, lo stesso samurai (evocato da una maga) e un boscaiolo testimone oculare del fatto. Ognuno di questi personaggi racconta una storia totalmente diversa per cui «tutte le versioni appaiono al tempo stesso vere e false; ognuna è dominata dagli interessi di chi la racconta».[4] Dai racconti emergono tante verità quanti sono i protagonisti della vicenda.

La storia di *Rashomon* mostra come gli angoli visuali incidano in modo determinante sulla rappresentazione, sulla narrazione e, in un senso peculiare, sulla creazione stessa della realtà di soggetti diversi.

Alcuni degli esempi tratti dall'esperienza delle aule di giustizia e proposti nei vari capitoli di questo libro ci consentiranno di considerare come i modi di richiedere informazioni, di porre domande, influiscano sulla narrazione e, nel senso peculiare suddetto, sulla creazione stessa della realtà.

È un dato di fatto quotidianamente verificabile nelle aule di giustizia la diffusa inadeguatezza di molti, fra avvocati e pubblici ministeri, nel gestire gli strumenti dell'assunzione orale della prova e, in particolare, nella pratica della *cross-examination*.

A tale inadeguatezza pratica corrisponde un ritardo della riflessione scientifica e della elaborazione giurisprudenziale sul sistema degli esami dibattimentali come meccanismo per la produzione di attendibili conoscenze processuali.

In realtà, il codice di procedura penale impone un vastissimo orizzonte di riflessione interdisciplinare che ruota soprattutto attorno ai temi della istruttoria dibattimentale e delle tecnologie di ricostruzione delle verità processuali come strumento per conseguire decisioni accettabili.

I temi di questa riflessione coinvolgono, come vedremo, profili epistemologici, tecnico-giuridici, retorico-argomentativi, psicologici e deontologici.

Tutti questi aspetti vanno studiati e compresi in modo che la riflessione teorica si saldi senza soluzione di continuità allo studio pratico, nella prospettiva di generare (anche) un perfezionamento degli strumenti operativi e, in definitiva, un miglioramento dell'efficienza della macchina-processo a produrre verità convincenti, in una dimensione di tutela della collettività e di garanzia delle posizioni individuali.

Queste riflessioni sul tema del controesame sono volte a costituire un contributo alla pratica (intesa come acquisizione di abilità operative) e alla comprensione (intesa come acquisizione di consapevolezza di metodiche e ruoli) dei complessi percorsi, solo in parte disciplinati normativamente,[5] attraverso i quali si forma o si distrugge la prova orale nel processo penale.

Per realizzare questi obiettivi si propone un metodo di analisi di tipo pratico-induttivo che prenda le mosse da concrete vicende processuali per poi sottoporle ad esame critico, per ricavarne principi e regole di condotta e per contribuire a una riflessione sui modi di formazione delle conoscenze processuali.

L'idea nasce dalla constatazione che le competenze[6] dei soggetti che operano nel processo penale hanno natura prevalentemente pratica e appartengono alla categoria delle tecniche, intesa l'espressione nella sua accezione etimologica.

Le *téchnai* (termine greco cui corrisponde in sostanza l'espressione *arti* di derivazione latina) più che alla sfera del conoscere attengono alla sfera del fare. Se a esse non sono estranei connotati conoscitivi e anche aspirazioni a definire quadri di riferimento teorici e epistemologici, il loro ambito primario riguarda l'individuazione, dal campo dell'esperienza, di regole e precetti pratici. La tecnica offre in primo luogo risposte alla domanda «come si fa?»: e solo dopo questo passaggio consente eventualmente la speculazione, l'individuazione di princìpi di natura teorica, di risposte alla domanda «cosa significa?».

Un sistema di regole pratiche può essere studiato secondo due modalità. Una che proceda dall'enunciazione del precetto all'indicazione della possibile applicazione; l'altra che dall'esame della prassi enuclei regole operative percependone punti di tensione, limiti, eventuali eccezioni. Queste pagine adottano la seconda modalità e in sostanza, come si diceva, una impostazione pratico-induttiva.

Esperienze processuali significative, nel bene o nel male, verranno esaminate criticamente per individuare regole tattiche, modelli operativi di tipo strategico, spunti di riflessione deontologica.

I casi analizzati in questo lavoro sono tratti da reali vicende giudiziarie.

Non sono indicati i nomi delle persone coinvolte in tali vicende e in particolare i soggetti sottoposti ai controesami. Facilmente infatti l'indicazione dei nomi di interroganti e interrogati e in generale gli estremi delle vicende giudiziarie da cui i verbali sono ricavati potrebbe determinare effetti oggettivamente diffamatori per i soggetti esaminati, nei casi di controesami distruttivi efficacemente condotti; per gli stessi esaminatori, in tutti i casi in cui – per arricchire l'orizzonte della riflessione – ci si occuperà di errori, fallimenti, cadute di professionalità.

Lo schema di esposizione e di studio, per ognuno dei casi proposti, sarà il seguente. Si procederà in primo luogo a una sintetica esposizione della vicenda processuale di riferimento, seguita, ove necessario, da un breve riassunto dell'esame diretto con eventuale citazione testuale di stralci. Verrà poi proposto il testo del controesame, con eventuali omissis nelle parti di scarso interesse. Si passerà quindi alla riflessione critica sul caso pratico proposto. In particolare si cercherà di evidenziare la pratica applicazione (o la violazione) di regole di carattere generale, cogliendo il senso della impostazione strategica e delle scelte tattiche di volta in volta praticate.

Prima di passare all'esame dei casi pratici appare tuttavia indispensabile l'indicazione di una regola di carattere generale, la cui conoscenza costituisce la base fondamentale per lo studio e per la pratica del controesame.

Questa regola non riguarda il metodo del controesame (il come praticare utilmente la *cross-examination*) quanto piuttosto il criterio in base al quale decidere se procedere o meno al controesame.

L'enunciato può sintetizzarsi in questi termini: si procede al controesame se si ha un obiettivo significante sotto il profilo probatorio e se tale obiettivo appare praticamente raggiungibile.

In altri termini si controesamina se l'esame diretto ha addotto elementi utili all'impostazione della controparte e, data questa premessa, se è possibile attenuare o elidere tali elementi. In mancanza di queste condizioni l'unica scelta corretta è quella di non procedere al controesame.

Naturalmente la scelta relativa al se procedere o meno al controesame alla stregua di questi parametri è tutt'altro che facile. Essa ha natura complessa e presuppone, per essere efficacemente effettuata, un senso dinamicamente strategico della prova e una capacità di rapida diagnosi delle situazioni processuali e delle caratteristiche dei relativi protagonisti.

2
Falsa testimonianza

Sembra naturale incominciare queste riflessioni esaminando la tipologia di situazioni processuali nelle quali è più evidente la necessità di un modo corretto ed efficace di procedere alla *cross-examination*. Si allude ai casi di deposizioni non veridiche quanto al loro contenuto e ispirate da un deliberato intento di riferire il falso.

Escluso quindi per il momento il tema delle inesattezze involontarie (e cioè delle deposizioni in cui, per le ragioni più diverse, i testimoni riferiscano circostanze non veridiche in tutto o in parte, nell'erronea convinzione di manifestare il vero), ci occuperemo in questo capitolo di false dichiarazioni rese da soggetti animati dal proposito intenzionale di riferire il falso. In sostanza, quindi, di contegni tendenzialmente riconducibili alle fattispecie penalistiche della falsa testimonianza e, in alcuni casi, della calunnia.

Lo studio del modo di interagire efficacemente con i falsi testimoni ci introdurrà a tematiche generali dal punto di vista tecnico-operativo e deontologico consentendoci di fissare alcuni concetti cardine che costituiranno la base anche dei successivi approfondimenti.

Il primo caso proposto è costituito dal controesame condotto dal pubblico ministero su di un teste presentato dalla difesa nell'ambito di un processo per omicidio volontario.

Si tratta di un processo per un omicidio di mafia. Un imprenditore rifiutatosi di assecondare una richiesta estorsiva formulata da un gruppo mafioso viene assassinato da un commando criminale, con modalità spettacolari e in pieno centro cittadino. La scena si svolge dinanzi a numerosissimi testimoni, nessuno dei quali peraltro è in grado di fornire elementi determinanti per l'individuazione degli autori del fatto di sangue. Nel corso delle indagini effettuate nei giorni successivi all'omicidio viene però assunta la deposizione di un soggetto che, circa due minuti dopo il fatto di sangue, si è imbattuto in un personaggio che, correndo con una pistola in pugno, si allontanava dalla scena del delitto.

La pistola vista dal teste (un'arma a rotazione) corrisponde al modello utilizzato per la commissione del fatto di sangue. Il teste – che d'ora in avanti chiameremo Bianchi – individua fotograficamente un personaggio organicamente inserito nel sodalizio mafioso. Il riconoscimento viene confermato qualche giorno dopo nel corso di un formale atto di ricognizione espletato in sede di incidente probatorio.

Il teste – sottoposto a programma di protezione – conferma a dibattimento tutte le sue dichiarazioni. La sua deposizione costituisce evidentemente la chiave di volta dell'impianto accusatorio a carico del presunto autore del delitto. La strategia difensiva, per naturale conseguenza, è tutta imperniata attorno al tentativo di demolire l'attendibilità della deposizione attraverso un attacco frontale alla credibilità del Bianchi.

La difesa, in particolare, mira a dimostrare che il teste chiave dell'accusa è persona che vive di espedienti, del tutto inaffidabile, dedita (o comunque disposta) alla commissione di ogni sorta di reati. La deposizione, secondo l'impostazione difensiva, sarebbe del tutto falsa e resa al solo scopo di ottenere i benefici economici previsti dalla normativa a tutela di chi collabora con la giustizia.

Il teste – che d'ora in avanti chiameremo Rossi – addotto dalla difesa riferisce, nel corso dell'esame diretto, di essere a conoscenza che il Bianchi era dedito a truffe in danno di compagnie assicuratrici. In particolare Rossi dichiara di essere stato coinvolto dal Bianchi in una di queste truffe. Sulle modalità di tale truffa Rossi fornisce indicazioni molto dettagliate, descrivendone con precisione le modalità operative, così da rendere a prima vista abbastanza credibile il contenuto della sua deposizione.

Fatte queste sintetiche premesse narrative si può procedere alla lettura del testo del controesame condotto dal pubblico ministero.

Pubblico Ministero: Allora, lei ha detto di avere qualche piccolo precedente, vero?

Teste: Sì.

Pubblico Ministero: Che piccoli precedenti?

Teste: Hanno messo favoreggiamento e poi estorsione, ma nella mia coscienza non è un'estorsione che ho fatto; ho solo chiesto indietro delle cambiali che aveva un signore che ricattava mia zia.

Pubblico Ministero: Ah capisco, lei si è opposto a un ricattatore...

Teste: Sì, con le cambiali ricattava mia zia.

Pubblico Ministero: Lei ci ha detto prima che il Bianchi voleva fare una truffa all'assicurazione. Ho capito bene?

Teste: Questo mi è stato riferito, dopo che lui ha fatto tutto.

Pubblico Ministero: Certo, lei non si era reso conto di quello che Bianchi stava facendo?

Teste: Io ero all'oscuro di tutto.

Pubblico Ministero: Dopo aver fatto la manovra questo delinquente le ha spiegato tutto, vero?

Teste: Mi ha detto la cifra che ha preso.

Pubblico Ministero: Dall'assicurazione. Quindi si può dire che ha fatto una truffa all'assicurazione?

Teste: Esattamente.

Pubblico Ministero: Lei che lavoro fa, signor Rossi?

Teste: Muratore.

Pubblico Ministero: Lei come è venuto oggi qui, a palazzo di giustizia?

Teste: Ho avuto l'invito.

Pubblico Ministero: Mi scusi, non mi sono spiegato bene. È venuto a piedi, in macchina, come?

Teste: In macchina.

Pubblico Ministero: Lei ha una macchina sua?

Teste: Sì.

Pubblico Ministero: Che macchina ha?

Teste: Una Giulietta.

Pubblico Ministero: Quando l'ha presa questa Giulietta?

Teste: Due anni fa.

Pubblico Ministero: Lei cambia spesso macchina, signor Rossi?

Teste: Dipende.

Pubblico Ministero: Da cosa?

Teste: Se mi piace una macchina, la cambio.

Pubblico Ministero: Negli ultimi cinque, sei anni, quante macchine ha cambiato?

Teste: Non posso ricordarmelo.

Pubblico Ministero: A occhio e croce, suvvia.

Teste: 3, 4.

Pubblico Ministero: Va bene, io le faccio un elenco di macchine adesso, lei mi dice se sono sue o se sono state sue. Abbiamo un'Alfa Romeo 1300 GTI, targata FG… Le dice niente questa targa?

Teste: No.

Pubblico Ministero: Strano. La macchina risultava immatricolata a lei. Una macchina sfortunata perché dai tabulati ANIA [Associazione Nazionale Imprese Assicuratrici] in mio possesso risulta che abbia fatto un bel po' di incidenti. Comunque sia, abbiamo un'Alfetta turbo diesel targata FG… Le dice niente questa targa?

Teste: Era una Duemila?

Pubblico Ministero: Sì.

Teste: Sì, era mia.

Pubblico Ministero: Ci dica, quando l'ha avuta?

Teste: Quattro anni fa.

Pubblico Ministero: Ha fatto incidenti stradali con questa macchina?

Teste: Sì, uno.

Pubblico Ministero: Temo di doverla correggere, perché qua, dai tabulati, ne risultano tre. Comunque andiamo avanti, poi le faremo vedere queste carte. Dunque le ricorda nulla una Ford Escort cilindrata 1100, targa FG...

Teste: Una Ford Escort ha detto?

Pubblico Ministero: Già.

Teste: Sì.

Pubblico Ministero: L'ha avuta questa macchina?

Teste: L'ho presa nuova.

Pubblico Ministero: Ha fatto qualche incidente con questa macchina?

Teste: No, non mi sembra.

Pubblico Ministero: È strano, a me risultano sei sinistri. Comunque andiamo avanti. Le dice nulla una Peugeot 305, cilindrata 1600, targa MI...

Teste: No.

Pubblico Ministero: Peccato. Ci risulta intestata a lei e ci risultano anche per questa sei sinistri. Poi naturalmente produrrò questa documentazione. Senta, abbiamo qui un'altra Alfa turbo diesel, targa FG... le ricorda qualcosa?

Teste: Sì.

Pubblico Ministero: L'ha posseduta questa macchina?

Teste: Sì, poco.

Pubblico Ministero: Quanto tempo?

Teste: L'ho posseduta per un mese.

Pubblico Ministero: Ci risulta un pochino di più.

Teste: Un mese, due mesi.

Pubblico Ministero: Ci risulta che nel giro di qualche mese lei ha fatto cinque sinistri.

Teste: No.

Pubblico Ministero: Non ha fatto nessun sinistro?

Teste: Uno solo.

Pubblico Ministero: Peccato, ne abbiamo cinque. Un'Audi 80, targa FG… le dice qualcosa?

Teste: Mai posseduta.

Pubblico Ministero: E un'altra Audi targata FG…?

Teste: Mai posseduto Audi.

Pubblico Ministero: Purtroppo queste due macchine, guarda caso, ci risultano intestate a lei e hanno fatto, vediamo, quindici, sedici sinistri nel giro di qualche mese. In sostanza lei ci può dire, negli ultimi anni, quanti incidenti stradali ha fatto?

Teste: Non ricordo.

Pubblico Ministero: A occhio e croce, tre, quattro, cinque…

Teste: Quattro o cinque.

Pubblico Ministero: Non si ricorda, non riesce ad essere più preciso?

Teste: Cinque o sei al massimo.

Pubblico Ministero: Ha ricevuto risarcimenti dalle assicurazioni per tutti questi sinistri?

Teste: Sì.

Pubblico Ministero: Che risarcimenti ha avuto?

Teste: Un milione, novecento, due milioni, non mi posso ricordare…

Pubblico Ministero: Ci dia una idea dell'ammontare complessivo dei risarcimenti.

Teste: Debbo dire una bugia? Non lo so...

Pubblico Ministero: No, non dica bugie. Bugie no, per l'amor del cielo. Lei conosce un certo Del Pozzo Giuseppe?

Teste: No.

Pubblico Ministero: C'è una incredibile casualità. Con due delle macchine intestate a lei è successo che lei abbia fatto sinistri con questo stesso signore. Una sfortuna incredibile, non trova?

Teste: Non ricordo.

Pubblico Ministero: Va bene, non ricorda. Tornando ai fatti di cui abbiamo parlato prima: questo Bianchi era uno che faceva le truffe alle assicurazioni, lei ci ha detto. Un delinquente, quindi?

Teste: Così si dice.

Pubblico Ministero: Chi lo dice?

Teste: Quello che ha fatto, ha detto...

Pubblico Ministero: Ah, dalle cose che ha detto il Bianchi lei ha capito che lui ha truffato una compagnia assicuratrice?

Teste: È più che normale.

Pubblico Ministero: È un brutto affare fare le truffe alle assicurazioni, vero?

Teste: Non lo so...

Si tratta evidentemente di un controesame del tipo cosiddetto distruttivo.[1]

Dalla lettura di questo verbale è possibile individuare alcune regole operative di carattere tendenzialmente generale. È in primo luogo necessario avere precisa consapevolezza di chi sia la persona da controesaminare e di come questa persona sia stata percepita dai giudici.

In questa prospettiva è opportuno acquisire ogni informazione lecita sul testimone e seguire con la massima attenzione lo svolgimento dell'esame diretto per cogliere ogni dettaglio (atteggiamento verso la situazione processuale, punti di forza, debolezze, modo di esprimersi del teste) dal quale trarre spunti utili per la migliore predisposizione del controesame.[2]

È in secondo luogo necessario avere ben chiaro l'effetto probatorio che si intende conseguire.

Si tratta di un corollario della regola principale del controesame, enunciata nella premessa di queste riflessioni e che conviene richiamare testualmente. Si procede al controesame se si ha un obiettivo significante sotto il profilo probatorio e se questo obiettivo appare praticamente raggiungibile. In altri termini si controesamina se l'esame diretto ha addotto elementi utili all'impostazione della controparte e, data questa premessa, se è possibile attenuare o rimuovere tali elementi. In mancanza di tali condizioni l'unica scelta strategicamente e tatticamente corretta è quella di non procedere al controesame.

In terzo luogo è necessario avere adeguata consapevolezza dell'effetto psicologico che le modalità scelte per procedere al controesame potranno determinare nei giudici.

Questo ha maggiore importanza quando si abbia di fronte una corte di assise e quindi giudici anche non professionali. La questione degli effetti psicologici del controesame (e naturalmente, in generale, dell'assunzione delle prove orali a dibattimento) non va comunque mai trascurata per le sue ricadute, a volte imprevedibili, sulla decisione finale.

Vediamo dunque in concreto come queste regole trovino applicazione nel caso esaminato.

La sequenza del pubblico ministero comincia con una mossa tattica volta a determinare una situazione di disagio nel testimone e di diffidenza per il teste nei giudici. Le primissime domande riguardano infatti i precedenti penali del testimone Rossi, cui questi ha peraltro già fatto cenno nel corso dell'esame diretto, a seguito di una specifica domanda del difensore. Incidentalmente occorre rilevare che il difensore aveva operato una scelta tatticamente intelligente chiedendo, lui per primo, al testimone di riferire di suoi eventuali precedenti. La mossa mira ad annullare l'effetto negativo che, terminato l'esame diretto, può essere indotto nei giudici dall'apparizione di precedenti penali a carico di un soggetto che viene presentato per deporre sulle qualità personali di altro soggetto e, in definitiva, sulla sua generale attendibilità. Il risultato che il difensore con le sue domande si era dunque proposto di ottenere era quello di fare apparire il teste come persona leale, con qualche precedente ma con nulla da nascondere.

Nondimeno, l'esordio del controesame consegue ugualmente, pur senza l'effetto sorpresa, il risultato voluto.

Rossi, infatti, si era limitato a rispondere affermativamente ma genericamente alla domanda rivoltagli in sede di esame diretto, relativa a suoi eventuali pregiudizi penali. Il tono ed il contenuto della risposta erano stati minimizzanti, ed è proprio da questa minimizzazione che prende lo spunto il pubblico ministero per fare emergere l'effettiva consistenza dei precedenti (favoreggiamento ed estorsione) e per collocare il teste, sin dall'inizio, in una posizione di difesa e, come si diceva, di disagio.

In poche battute viene chiarito che Rossi ha precedenti specifici per reati contro l'amministrazione della giustizia e per estorsione. Sempre in tali prime battute viene sostanzialmente costretto a un goffo tentativo di giustificazione per fatti rispetto ai quali è già stato condannato con sentenze passate in giudicato. Proprio queste giustificazioni grossolane elidono l'effetto voluto dalla difesa con la manifestazione preventiva dei precedenti del teste.

Si noti come il pubblico ministero, dopo aver ottenuto questo vantaggio di posizione, non insista sul tema dei precedenti di Rossi. Nulla di più, infatti, potrebbe essere ottenuto insistendo sull'argomento. Il Rossi è già stato condannato per questi fatti e l'interesse del controesaminatore era solo di gettare una luce di inaffidabilità sulla persona del teste, nella prospettiva di entrare, con le condizioni più favorevoli, nella fase strategicamente centrale del controesame.

La fase centrale prende le mosse da una indagine preventiva e mirata sulla persona di Rossi. Egli è un truffatore professionale, come il pubblico ministero ha accertato acquisendo documentazione ANIA. Al momento dell'inizio del controesame il pubblico ministero ha dunque perfetta consapevolezza dell'attività di truffatore cui il Rossi è dedito e, soprattutto, è in grado (essendosi procurata la necessaria documentazione) di contestare al Rossi eventuali negatorie.

Ecco dunque che appare soddisfatta la prima delle regole sopra indicate. Il pubblico ministero, sin dall'inizio del suo controesame, sa con chi avrà a che fare. Sa in particolare per quale motivo il Rossi è in grado di parlare con tanta cognizione delle modalità di una truffa a danno di una compagnia assicuratrice.

Nella prospettiva della difesa, la precisione del Rossi nel descrivere le modalità della truffa che sarebbe stata commessa dal Bianchi è un significativo elemento a sostegno della credibilità della narrazione. È proprio su tale precisione che si concentra lo sforzo demolitore del controesaminatore, ma tale sforzo per essere possibile e utile presuppone una precedente, accurata indagine sulla persona del teste.

Si noti a questo punto come lo studio della personalità, dei precedenti, della vita pregressa del teste nella prospettiva di un'utile effettuazione del controesame distruttivo costituisca la premessa necessaria perché sia messa in pratica la seconda regola cui si è fatto cenno.

La difesa, al termine dell'esame diretto, ha certamente segnato un punto a suo vantaggio. Il teste chiave dell'accusa è stato infatti presentato come persona sostanzialmente inaffidabile perché, fra l'altro, dedita a reati aventi l'inganno come componente strutturale.

Non si tratta certo di un punto decisivo ma consente comunque alla difesa uno spazio di manovra argomentativa e prepara il terreno ad altri attacchi alla attendibilità della deposizione di accusa.

La prospettiva è di segnalare alla corte l'esistenza di un ragionevole dubbio intorno alla responsabilità dell'imputato, laddove l'accusa si regga essenzialmente sulle parole di un truffatore.

È questa la prospettiva che il pubblico ministero deve attaccare. Ciò non può essere fatto però senza una idea precisa e analitica del risultato da conseguire e dei mezzi attraverso i quali conseguirlo.

Si tenga presente che un controesame che non abbia uno scopo preciso, per conseguire il quale non siano stati adeguatamente pianificati i mezzi, presenta il rischio altissimo di rinforzare la posizione avversaria già conseguita con l'esame diretto. Un controesame casuale consente infatti al teste di ripetere e rafforzare la sua deposizione, colmando eventuali vuoti e fornendo ulteriori particolari. Più si controesamina senza segnare punti a proprio favore (ed è ciò che quasi immancabilmente accade nel controesame casuale) più si incrementa l'attendibilità del teste avverso e della sua deposizione.

Di fronte a una deposizione avversa che abbia conseguito un qualche risultato, bisogna dunque chiedersi se esista la possibilità di segnare punti a proprio favore in sede di controesame. A questa domanda occorre dare una risposta tenendo conto del fatto che ci sono sostanzialmente tre modi di interagire con un teste sfavorevole[3] e quindi, in definitiva, tre tipi di obiettivi perseguibili.

Il primo modello di interazione con il teste sfavorevole mira a limitare gli effetti negativi dell'esame diretto. In sostanza con questa metodica si tende a evidenziare che l'esame diretto non ha fornito elementi decisivi o comunque rilevanti per la decisione della causa. Le acquisizioni dell'esame diretto vengono circoscritte, ma non cancellate.

Il messaggio che con questo modello operativo si rivolge ai giudici è il seguente:

Il teste ha detto effettivamente qualcosa di non favorevole alla mia posizione, ma si tratta di qualcosa meno importante o, comunque, meno coerente di quanto potesse apparire all'inizio. La deposizione di questo teste ha un rilievo marginale e non è in grado di incidere in modo determinante sulla decisione.

È questo il metodo che potremmo definire «della limitazione dei danni».

Il secondo modello di interazione con il teste sfavorevole consiste nella demolizione della testimonianza diretta attraverso l'attacco alla attendibilità del teste.

Il messaggio che con questo secondo modello operativo viene rivolto ai giudici è il seguente:

Quello che il teste vi ha raccontato nell'esame diretto potrebbe essere sfavorevole o addirittura molto sfavorevole alla mia posizione se potesse essere creduto. Non dovete/

potete credere però a questa storia perché il teste è perso-
na inattendibile: o si sbaglia o sta mentendo.

È questo il metodo che potremmo definire «del mi-
rare al teste per colpire la deposizione».

Il terzo modello di interazione con il teste sfavorevole consiste nell'attacco al cuore della testimonianza diretta. L'obiettivo è quello di dimostrare che
la storia raccontata dal teste o l'opinione espressa dal
consulente non è vera (non può essere creduta) perché si tratta di una storia completamente inattendibile o di una opinione scientificamente sbagliata. Si
tratta evidentemente dell'obiettivo massimo conse-
guibile con un controesame.

Il messaggio rivolto ai giudici, praticando utilmente
tale opzione, è il seguente:

Quello che il teste vi ha detto nell'esame diretto potrebbe
essere sfavorevole o addirittura molto sfavorevole alla mia
posizione se fosse credibile. Nessuno però può credere a que-
sta storia o perché essa è del tutto incoerente, o addirittu-
ra perché ne è stata dimostrata la falsità.

È questo il metodo che potremmo definire «del distruggere la storia per cancellare la deposizione».

Se uno di questi tre obiettivi è perseguibile con prospettive di successo è opportuno procedere al controesame. Per le ipotesi in cui tali prospettive di successo non sussistano conviene tenere a mente il consiglio, tra il serio ed il faceto, di K. F. Hegland, profes-
sore all'università dell'Arizona.

«Non controesaminate mai solo per sembrare impe-
gnati... Se non potete conseguire alcun risultato pren-

dete in considerazione la pratica della scrollata di spalle: "Non ho nessuna domanda per questo teste, Vostro Onore". Esercitatevi nella scrollata di spalle; alla fine sarete capaci di praticarla in modo tale da suggerire non solo che il teste non vi danneggia, ma che quel testimone è al di sotto del disprezzo della gente civile».[4]

Nel caso esaminato, le scelte intorno alla necessità e alle modalità del controesame sono direttamente determinate dalla preliminare indagine sulla persona del teste Rossi. L'individuazione dell'attività di truffatore abituale di costui lascia infatti ipotizzare un esito favorevole del controesame e conduce naturalmente alla scelta del modello operativo e quindi dell'obiettivo da perseguire.

Il controesame effettuato corrisponde infatti tipicamente al secondo dei moduli operativi sopra tratteggiati: non viene in alcun modo rivisitato il contenuto narrativo della deposizione resa in sede di esame diretto, mentre tutto lo sforzo del controesaminatore è rivolto alla distruzione della credibilità del teste.

Ciò che non si deve comunque dimenticare, in casi come quello esaminato, è l'applicazione della regola secondo cui lo svolgimento del controesame non deve produrre effetti psicologici non voluti.

Questa regola enuncia in sostanza la necessità di prevedere l'impatto psicologico che la strategia adottata per il controesame potrà produrre su chi dovrà decidere il merito del processo.

Occorre sapere che ogni scelta, in questa materia, influirà sulla rappresentazione (spesso non consapevole) che i giudici – soprattutto i non professionali – si faranno del teste ma anche del controesaminatore,[5] con ricadute a volte non insignificanti sulla decisione finale.

È evidente che, nel caso di specie, il controesaminatore mira a far percepire ai giudici il teste Rossi come un mistificatore senza scrupoli, presentatosi come accusatore di reati nei quali lui stesso è specializzato. Il pubblico ministero consegue tale risultato con lo strumento dell'ironia, evidenziando la paradossalità della situazione anche attraverso la ridicolizzazione del teste.

Va messo in luce come l'effetto di ridicolizzazione venga però generato senza che in nessuna fase del controesame si determinino le condizioni di uno scontro diretto fra interrogante e interrogato.

Questo aspetto non è privo di importanza. La scelta del controesame di tipo distruttivo non è infatti immune da rischi per l'interrogante. L'eventuale scontro diretto con il teste riduce il grado di controllo della sequenza di domande e può, altresì, incidere negativamente sulla immagine del controesaminatore.

Entrambe le conseguenze suddette vanno evitate per ragioni di stile e per ragioni di efficacia.

Il controesame non deve in nessun momento diventare una rissa fra interrogante e interrogato[6] e il controesaminatore, per poter svolgere nel modo migliore il suo compito nella formazione delle prove e, successivamente, nella esposizione persuasiva delle sue conclusioni, ha bisogno di una immagine di serena autorevolezza.

Un controesame come quello di cui ci siamo fin qui occupati, con i suoi effetti di ridicolizzazione del teste e di demolizione della sua immagine, impone qualche riflessione di natura deontologica.

Fino a che punto può spingersi il controesaminatore (sia egli un difensore o il pubblico ministero) nell'attacco alla personalità di un testimone?

Fino a che punto gli è consentito fare apparire ridicolo il teste addotto dalla controparte o, in generale, demolirne l'immagine?

Domande del genere non trovano facilmente una risposta. In questa materia la varietà dei casi e anche la diversità dei ruoli[7] rendono estremamente accidentato il compito di chi intenda individuare regole deontologiche.

Un criterio generalissimo può essere comunque abbozzato avendo come parametro il contenuto e le modalità della deposizione resa in sede di esame diretto.

Ogniqualvolta un teste abbia reso dichiarazioni consapevolmente false o comunque strutturate in modo tale da alterare consapevolmente la verità dei fatti, è consentito un attacco energico e penetrante alla immagine e alla personalità del teste stesso.

Il tentativo doloso di inquinare il quadro delle conoscenze su cui dovrà fondarsi la decisione della causa autorizza gli attacchi più distruttivi all'immagine del testimone e alla versione da lui fornita.

Il discorso è diverso quando, pur in presenza di deposizioni in tutto o in parte non conformi alla verità storica, non sussistano elementi per ritenere che il teste abbia reso dichiarazioni consapevolmente false o reticenti.

Si tratta in definitiva dei numerosi casi in cui il teste riferisce fatti non veri in tutto o in parte, in dipendenza di una errata percezione, di un difettoso ricordo, di un deficit narrativo.

Anche in questi casi si pone, naturalmente, l'esigenza di attaccare l'attendibilità personale del testimone o la credibilità intrinseca della storia. Questi obiettivi vanno però perseguiti con estrema cautela deontologica, non essendo ammissibili aggressioni indiscriminate a testi[8] che, in sostanza, si siano semplicemente sbagliati.

Militano nel senso di questa scelta non solo le ragioni deontologiche delle quali ci stiamo occupando, ma anche, come si osservava in precedenza, ragioni di stile e di efficacia.

È utile riportare sul punto l'insegnamento di Francis Wellman.

«Se i modi dell'avvocato sono cortesi e concilianti il testimone perderà subito la paura che tutti i testimoni hanno del controesaminatore e, quasi impercettibilmente, potrà essere indotto ad accettare una discussione della sua testimonianza in spirito equanime: e questo, se il controesaminatore è abile, svelerà subito i punti deboli della testimonianza. Le simpatie della giuria sono invariabilmente dalla parte del testimone; i giurati si risentono facilmente per ogni scortesia nei suoi confronti. Loro sono disposti ad ammettere gli errori del teste, se voi siete in grado di renderli evidenti, ma sono molto più restii ad accettare l'idea che il teste sia colpevole di falsa testimonianza. Ahimè, quanto spesso, nella quotidiana esperienza delle nostre corti, questa verità viene trascurata.

«Costantemente siamo messi di fronte ad avvocati i quali si comportano come se pensassero che chiunque renda una deposizione contraria alla loro posizione stia commettendo falsa testimonianza. Non c'è da stupirsi che costoro raggiungano risultati così modesti con la loro *cross-examination*.

«È vero che con il loro stile aggressivo e intimidatorio spesso riescono a confondere il testimone; falliscono però l'obiettivo di screditarlo dinanzi alla giuria. Al contrario provocano simpatia per il teste che stanno attaccando».[9]

Il secondo caso è tratto da un processo per violenza carnale.

La persona offesa ha sostenuto, in sede di querela e poi di esame diretto, di avere subìto violenza sessuale ad opera di un conoscente, dal quale aveva accettato un passaggio in macchina; la violenza sarebbe stata consumata a bordo della autovettura stessa.

La difesa dell'imputato non mira a negare il rapporto sessuale; sostiene però che il rapporto fu consenziente, inserendosi, fra l'altro, nel quadro di una vera e propria relazione fra imputato e presunta vittima.

Ecco il testo integrale del controesame della persona offesa condotto dal difensore dell'imputato.

Avvocato: Signora, sono l'avvocato Verdi [nome convenzionale]. Devo farle qualche domanda ma cercherò di essere breve. Si sente di rispondere?

Teste: Sì.

Avvocato: Può raccontarci quando e in che occasione ha conosciuto l'imputato?

Teste: Ci siamo conosciuti a una festa dove ero andata con una mia amica.

Avvocato: Quando è stata questa festa?

Teste: Non lo so adesso, sei mesi fa forse, non lo so...

Avvocato: Va bene, lei ricorda sei mesi fa. Dopo aver conosciuto l'imputato a quella festa... a proposito, di chi era quella festa?

Teste: Non lo so, le ho detto che ci sono andata con una mia amica.

Avvocato: Scusi, vuol dire che non conosceva il padrone di casa?

Teste: No, cosa c'è di strano?

Avvocato: Nulla. Scusi. Che tipo di festa era?

Pubblico Ministero: Presidente, si chiede alla teste una valutazione e comunque è una domanda del tutto irrilevante.

Presidente: Va bene, avvocato, lasciamo stare il tipo di festa.

Avvocato: Va bene, presidente. Dunque, signorina, le stavo chiedendo, dopo aver conosciuto l'imputato a questa festa ha avuto modo di incontrarlo di nuovo?

Teste: Sì.

Avvocato: Una volta sola, più volte?

Teste: L'ho detto, qualche volta lui passava dall'ufficio...

Avvocato: Vuol dire dal suo posto di lavoro?

Teste: Sì.

Avvocato: L'ha mai invitata a uscire?

Teste: Sì.

Avvocato: Lei ha mai accettato gli inviti, a parte la sera dello scorso 12 marzo naturalmente?

Teste: Io quella sera ho solo accettato un passaggio...

Avvocato: Sì, sì, mi scusi. Comunque prima di quella sera ha mai accettato inviti, passaggi o altro, che ne so, un caffè?

Teste: Una volta sola un caffè al bar vicino all'ufficio.

Avvocato: Lei ha un fidanzato, un compagno?

Teste: Sì.

Avvocato: È la persona che l'ha accompagnata a sporgere la querela, vero?

Teste: Sì.

Avvocato: Lei convive con questa persona?

Teste: Sì.

Avvocato: Che lavoro fa il suo compagno?

Teste: È capo area commerciale di una industria alimentare.

Avvocato: Capita a volte che vada via per qualche giorno, per lavoro?

Teste: Sì.

Avvocato: Capita di frequente?

Teste: Non so, una volta al mese, due volte...

Avvocato: Ah, per inciso, quando andò a quella festa con la sua amica, il suo compagno era in viaggio?

Teste: ... sì, credo di sì... non ricordo bene.

Avvocato: Mettiamola diversamente: se il suo compagno fosse stato in sede avrebbe avuto qualche problema a lasciarla andare sola a una festa?

Teste: Sì, sì, mi ricordo, era partito.

Avvocato: Il suo convivente dispone di un telefono cellulare?

Teste: Sì.

Avvocato: Vuol dirci il numero per piacere? Suppongo che lo conosca a memoria.

Teste: Ma che c'entra il cellulare?

Avvocato: La prego, signora – mi rendo conto che per lei è penoso stare qua – se risponde alle mie domande possiamo esaurire più rapidamente questa incombenza.

Teste: Cosa voleva sapere?

Avvocato: Il numero del telefono cellulare del suo compagno.

Teste: 0336...

Avvocato: Lei sa se l'imputato conoscesse il suo compagno?

Teste: No... non credo... no.

Avvocato: Le chiedo questo perché dall'esame dei tabulati del cellulare del signor Bianchi [nome convenzionale per l'imputato] – anche lui ha un cellulare – risultano tre chiamate al numero del cellulare del suo compagno. Due di queste telefonate sono del 18 gennaio, durata, vediamo, la prima pochi secondi... sarà caduta la linea, e la seconda invece 6 minuti e 43 secondi; poi c'è una terza telefonata, è di circa venti giorni dopo, dura 4 minuti e 5 secondi. Questa terza telefonata risale a circa un mese prima del 12 marzo. Ha idea del perché dal cellulare del signor Bianchi possano essere partite telefonate indirizzate al cellulare del suo convivente?

Teste: [esitando a lungo] ... non lo so.

Avvocato: Volevo chiederle se le risulta, voglio dire se ricorda che il suo compagno nello scorso mese di gennaio sia partito per lavoro?

Teste: Non lo so, come faccio a ricordarmi, forse sì, forse no...

Avvocato: Le facevo questa domanda perché mi risulta che il suo compagno, la notte fra il 18 e il 19 gennaio scorsi, ha pernottato a Milano, nell'albergo X... Quando parte per lavoro il suo compagno va a Milano?

Teste: ... sì, spesso sì.

Pubblico Ministero: Potrei sapere come fa la difesa ad essere in possesso di queste informazioni?

Avvocato: Signor pubblico ministero, noi abbiamo fatto le nostre indagini, consentite dall'art. 38 delle disposizioni di attuazione. È evidente che io non devo rivelarle le mie fonti ma solo rispondere di eventuali affermazioni false. Può stare certo però che siamo in grado di documentare tutto. Le ricordo comunque che stiamo esercitando un nostro diritto. Posso proseguire, presidente?

Presidente: Vada avanti, avvocato.

Avvocato: Grazie. Signora, lei ha un telefono cellulare?

Teste: No.

Avvocato: Rammenta per caso se nello scorso mese di febbraio il suo compagno sia partito per lavoro?

Teste: Non lo so.

Avvocato: A noi risulta un pernottamento nello stesso albergo di Milano, la notte fra il 9 e il 10 febbraio. Volevo farle notare che le telefonate partite dal cellulare del signor Bianchi all'indirizzo del cellulare del suo compagno coincidono con la presenza a Milano del suo compagno. Le suggerisce qualcosa questa coincidenza?

Teste: [lunga pausa] No.

Avvocato: Non le suggerisce nulla, va bene. Il rapporto con il suo convivente è tranquillo?

Teste: Cosa vuol dire?

Avvocato: Voglio dire: litigate spesso, qualche volta, mai, ci sono problemi?

Teste: Come tutte le coppie.

Avvocato: Il suo convivente l'ha mai picchiata?

Teste: Càpita uno schiaffo, ogni tanto, può capitare...

Avvocato: Ah, uno schiaffo ogni tanto. Lei ha mai sporto querela per questi schiaffi ogni tanto?

Teste: Vabbè, una volta andai dai carabinieri ma poi ho ritirato tutto.

Avvocato: Può dirci cosa riferì ai carabinieri?

Teste: Che c'erano state delle liti...

Avvocato: Disse di essere stata picchiata? Di essere stata picchiata più volte?

Teste: ... sì, ma poi ho ritirato...

Avvocato: Sì, lo ha detto, ha ritirato tutto. Cos'altro disse?

Teste: Io feci la querela perché volevo farlo smettere.

Avvocato: Smettere cosa?

Teste: Le scenate di gelosia, poi a volte mi picchiava senza che avessi fatto niente...

Avvocato: Perché ha ritirato tutto?

Teste: Lui disse che sarebbe cambiato.

Avvocato: Ed è cambiato?

Teste: ... sì.

Avvocato: Dopo la remissione della querela, insomma dopo che lei ritirò tutto, ci sono stati altri atti di violenza?

Teste: ... qualche volta...

Avvocato: Signora, è mai dovuta ricorrere alle cure di sanitari per questi atti di violenza?

Teste: Forse un paio di volte.

Avvocato: È andata al pronto soccorso?

Teste: Sì.

Avvocato: È corretto dire che lei aveva... timore del suo convivente?

Pubblico Ministero: Opposizione presidente.

Presidente: Accolta. Avvocato, cerchiamo di arrivare al dunque.

Avvocato: Ci sono, presidente. La signora lo sa. Signora, lei ha detto di avere accettato un passaggio la sera del 12 marzo, la sera dei fatti, per intenderci. Può dirci a che ora uscì dall'ufficio quella sera?

Teste: La solita ora.

Avvocato: La solita ora quale sarebbe?

Teste: Le cinque.

Avvocato: E davanti all'ufficio trovò l'imputato ad aspettarla?

Teste: Sì.

Avvocato: Evidentemente lui conosceva l'orario di uscita, vero?

Teste: Sì.

Avvocato: Si stupirebbe se le dicessi che quel pomeriggio lei uscì un'ora prima?

Teste: Come fa a dire questa cosa?

Avvocato: Vede, questo è un permesso firmato dal vice direttore della ditta dove lei lavorava allora, che la autorizza a uscire un'ora prima, il giorno 12 marzo 1994.

Teste: Chi le ha dato questa carta?

Avvocato: Scusi ma non credo che sia la cosa più importante. Lei dovrebbe dirmi se ricorda di essere uscita prima dall'ufficio quel pomeriggio.

Teste: Io non capisco dove vuole andare a parare perché...

Presidente: Signorina, risponda alla domanda.

Teste: Sarò uscita prima. Cosa significa?

Avvocato: Vorrei chiederle per quale motivo chiese quel permesso per anticipare l'uscita dall'ufficio.

Teste: Non lo so. Come faccio a ricordarmelo...

Avvocato: Vorrei chiederle per quale motivo non riferì ai carabinieri, al momento della querela, di essere uscita dall'ufficio in anticipo, quel pomeriggio.

Teste: Non lo so, che importanza aveva?

Avvocato: Vorrei chiederle se quel giorno il suo compagno doveva partire per Milano.

Teste: Non mi ricordo.

Avvocato: Vorrei chiederle se quel pomeriggio lei avesse appuntamento con il signor Bianchi, odierno imputato.

Teste: No, io…

Avvocato: Vorrei chiederle se è in grado di spiegare come facesse l'imputato a sapere che proprio quel giorno lei sarebbe uscita un'ora prima.

Teste: …

Avvocato: Vorrei chiederle se è esatto che quel giorno – il giorno del presunto stupro – il suo compagno doveva partire e che, invece, quando lei tornò a casa a sera alquanto inoltrata, scoprì che non era partito.

Teste: …

Avvocato: Presidente, se potessimo dare atto che alle due ultime domande la teste non ha risposto, io avrei finito.

Nell'annotare questo ottimo esempio di controesame si eviterà di ripetere le riflessioni sviluppate a margine del caso precedente. È peraltro evidente che i due esempi di controesame presentano analogie quanto alla struttura dell'impianto strategico e al modo di procedere.

La prima considerazione che emerge in questo secondo caso riguarda la qualità dell'indagine difensiva, dalla quale per larga parte dipende il buon esito del controesame.

Anche nell'esempio precedente l'effetto distruttivo della *cross-examination* deriva direttamente da una accurata indagine sulla persona del teste, e in particolare sulla sua attività di truffatore professionale. In quel caso, però, ad agire era il pubblico ministero, e cioè un soggetto dotato istituzionalmente di vastissimi poteri investigativi per l'accertamento di fatti e condizioni personali. In questo caso ad agire è un difensore che, con ogni probabilità, si sarà servito dell'apporto professionale di un buon investigatore privato. Non era certamente infondata la perplessità sollevata a un certo punto del controesame dal pubblico ministero intorno alla provenienza delle informazioni precise (e, sotto qualche aspetto, informazioni riservate: si pensi in particolare al dato relativo ai soggiorni in albergo del convivente della persona offesa) in possesso della difesa.

Sta di fatto, comunque, che il difensore disponeva di quelle informazioni e ne ha fatto l'uso strategicamente più appropriato. È interessante notare, anche in questo caso, come il controesaminatore abbia una precisa – per quanto interessa ai suoi fini – conoscenza del teste e delle sue motivazioni e abbia chiaro altresì l'obiettivo cui il controesame dovrà tendere. Proprio la sicurezza derivante da queste premesse consente al difensore di impostare in modo sommesso e rassicurante la sua sequenza di domande, salvo poi a terminare il controesame con una progressione durissima nella sostanza, se non nella forma.

L'aspetto più interessante del controesame in questione riguarda però quella che potremmo definire la sua struttura narrativa. In un successivo capitolo ci soffermeremo diffusamente sul tema degli esami dibattimentali come strumento di comunicazione e persuasione nei confronti del giudice. La sequenza delle domande serve, naturalmente, a far emergere dati di fatto determinanti per la decisione della causa, ma è altresì strutturata e ritmata in forma di racconto, con gli ascoltatori (i giudici) che vengono accompagnati in modo progressivo, e avvincente, verso un esito decisamente inatteso. Ogni domanda è un segmento, al tempo stesso, di una storia e di una argomentazione che si svelano ai giudici progressivamente e con grande efficacia. Assai significativi, in questa prospettiva, ritmo e contenuto delle ultime domande, alle quali il difensore non ottiene (ma probabilmente neppure si aspetta) alcuna risposta.

Queste domande costituiscono in realtà uno strumento retorico per parlare ai giudici e per trarre le conclusioni di uno sforzo narrativo e argomentativo complesso e brillante.

Il fondamento strategico di ogni efficace *cross-examination* risiede nell'impostazione della sequenza delle domande sulla falsariga di una argomentazione, dovendo in particolare ogni domanda costituire un passaggio nello sviluppo progressivo della argomentazione stessa.[10]

3
Il falso testimone inconsapevole

Le deposizioni consapevolmente false, di cui ci siamo occupati nel capitolo precedente, non sono statisticamente molto frequenti. È assai più facile, nella pratica quotidiana, avere a che fare con testimoni che per le ragioni più varie (difetti di percezione, difetti di memoria, suggestione, età, difficoltà di espressione etc.) riferiscono cose in tutto o in parte non corrispondenti alla realtà dei fatti, senza essere peraltro animati da una intenzione consapevole di dire il falso. Tutti questi casi richiedono di essere trattati dal controesaminatore con grande professionalità operativa e chiara coscienza dei propri vincoli deontologici.

Ci occuperemo di un controesame in cui l'agire di un avvocato difensore appare adeguatamente bilanciato fra esigenze di efficacia e obblighi di correttezza nei confronti di un testimone che, pur avendo fornito informazioni probabilmente non vere, non aveva però commesso una consapevole falsa testimonianza.

Il caso è tratto da un processo per rapina aggravata. Il fatto è contestato a tre soggetti in concorso fra loro. In particolare due di costoro sono accusati di avere materialmente sottratto denaro e orologio alla vittima mentre al terzo è attribuito il ruolo di palo. Quest'ultimo personaggio è stato individuato fotograficamente dalla persona offesa nella fase delle prime indagini di polizia giudiziaria. Poiché l'imputato era latitante, a dibattimento il teste ha confermato, in sede di esame diretto, la sua individuazione fotografica. La foto dell'imputato è stata acquisita al fascicolo del dibattimento. Da queste premesse parte il controesame del difensore.

Avvocato: Lei ha già descritto, rispondendo alle domande del pubblico ministero, come si svolse la rapina. Adesso vorrei farle solo qualche domanda per vedere se ho capito bene il suo racconto. Va bene?

Teste: Va bene.

Avvocato: Lei ha riferito che gli autori della rapina erano tre, due vicini a lei che facevano materialmente la rapina e uno un po' in disparte, è esatto?

Teste: Sì, esatto, il terzo era più lontano, cioè stava all'angolo, credo che faceva il palo, poi se ne sono andati tutti insieme.

Avvocato: A che distanza da lei e dagli altri due era questo terzo signore?

Teste: Era vicino all'angolo... quindi forse una decina di metri.

Avvocato: Sì. Lei ricorda esattamente in che punto si trovava quando fu rapinato?

Teste: Come faccio a dire in che punto preciso mi trovavo, sono parecchi mesi fa.

Avvocato: Lei ha ragione, è normale che uno non ricordi tutti i dettagli. Le ho fatto questa domanda perché al momento della denuncia lei diede una indicazione precisa.

Teste: Al momento della denuncia era subito dopo, è chiaro che mi ricordavo meglio.

Avvocato: Certo. Presidente, avrei una contestazione, per aiutare la memoria del teste. Dunque, nella denuncia lei disse: «i rapinatori mi hanno fermato davanti all'esercizio commerciale denominato...».

Teste: Sì, sì, è vero.

Avvocato: Bene, quindi lei conferma. Allora, ricostruendo la scena: lei era davanti a questo negozio, vicinissimi erano i due che materialmente le hanno tolto soldi e orologio mentre il terzo era all'angolo. Esatto?

Teste: Esatto.

Avvocato: A che distanza dall'angolo è questo negozio?

Teste: L'ho detto, una decina di metri.

Avvocato: Sarebbe sorpreso se le dicessi che fra questo negozio e l'angolo...

Pubblico Ministero: Opposizione, si chiede una opinione del teste.

Avvocato: Va bene, riformulo la domanda. Lei sa che fra il negozio e l'angolo ci sono effettivamente venti metri, circa?

Teste: Non sono mica andato con il metro. Mi stavano rapinando.

Avvocato: Sì, certo. Guardi che mi rendo conto benissimo, io devo solo chiarire qualche dettaglio. Deve avere un po' di pazienza. Allora lei ci conferma che questo terzo rapinatore lo ha visto a venti metri di distanza...

Pubblico Ministero: Opposizione presidente. Il teste non ha mai parlato di venti metri, questa misura l'ha indicata il difensore.

Avvocato: Ha ragione. Lei conferma che questo signore, il terzo rapinatore, era sull'angolo e lei all'altezza del negozio?

Teste: Sì.

Avvocato: Lei in questura visionò delle fotografie?

Teste: La seconda volta, la mattina dopo.

Avvocato: Sì, quando fu richiamato. Può spiegarci esattamente come si svolse questa ricognizione fotografica?

Teste: Niente, mi diedero questo album da guardare, io lo guardai e poi riconobbi una fotografia. All'inizio non ero sicurissimo, poi però...

Avvocato: Scusi l'interruzione, ma ho bisogno di chiarire qualche dettaglio. Le diedero da guardare un solo album?

Teste: Sì.

Avvocato: Ha detto che all'inizio non era sicurissimo, poi però...?

Teste: Mi sembrava di riconoscerlo ma non ero sicuro, la foto non era somigliantissima. Poi più la guardavo più mi sembrava che era lui...

Avvocato: Perché si soffermò su quella foto?

Teste: Perché era una faccia nota, insomma, poi mi resi conto che era uno dei rapinatori.

Avvocato: Ho capito. Lei ha detto una faccia nota.

Prima di questi fatti questo signore lei non lo aveva mai visto.

Teste: No.

Avvocato: Lei pratica qualche sport?

Teste: Come scusi?

Avvocato: Le ho chiesto se lei pratica qualche sport.

Teste: Che c'entra?

Avvocato: Non si preoccupi, risponda alla domanda.

Teste: Gioco a pallone.

Avvocato: Fra amici, così, o partecipa a qualche torneo?

Teste: Sto in una squadra e partecipiamo a tornei aziendali.

Avvocato: Vorrei mostrarle una fotografia.

[Il difensore mostra al teste una fotografia con due squadre in tenuta da calcio].

Avvocato: Riconosce qualcuno in questa foto?

Teste: Certo. Ci sono io, qui [indica sulla foto], e poi quelli della mia squadra.

Avvocato: Quando è stata fatta questa foto?

Pubblico Ministero: Presidente, vorrei capire a cosa serve tutto questo.

Avvocato: Un attimo solo, un attimo solo, quando è stata fatta la foto?

Teste: È dell'estate scorsa, la finale di un torneo.

Avvocato: 4 settembre?

Teste: Sì, credo.

Avvocato: Circa un mese prima della rapina?

Teste: Mi pare, sì.

Avvocato: Quelli dell'altra squadra li conosceva?

Teste: Qualcuno, non tutti.

Avvocato: Vuol guardare di nuovo la foto e dirmi per piacere chi conosce?

Teste: [guardando la foto] Questo lo conosco, questo anche, questo...

Avvocato: Questo? Presidente, possiamo dare atto che il teste indica il secondo in piedi da sinistra della squadra con la maglia a strisce orizzontali bianche e azzurre? [il Presidente dà atto a verbale]. Diceva allora, questo?

Teste: Questo... assomiglia...

Avvocato: A chi assomiglia?

Teste: Assomiglia un poco a quella fotografia... in questura...

Avvocato: A quello che lei ha riconosciuto in questura?

Teste: Un poco si assomiglia, ora non è facile...

Avvocato: Effettivamente è la stessa persona. Lo ricorda adesso?

Teste: Sì, può essere lui.

Avvocato: Volevo chiederle, signor... adesso che si è ricordato di avere già visto, in passato, la persona che poi riconobbe in fotografia in questura, questo signore che giocò a pallone con lei...

Teste: Non con me, era nell'altra squadra.

Avvocato: Certo, intendevo durante la stessa partita. Dicevo, adesso che si è ricordato, può affermare che la persona che giocò a pallone quella sera, nella squadra avversaria della sua, era la stessa che partecipò alla rapina?

Teste: ... adesso come si fa, io... è difficile così su due piedi...

Avvocato: Certo, mi rendo conto. Le faccio una domanda un po' diversa. Quando lei subì la rapina e vide, a venti metri di distanza, il terzo complice, si rese conto che poteva trattarsi della stessa persona con cui giocò a pallone circa un mese prima?

Teste: No, come facevo... era lontano...

Avvocato: Io ho finito, presidente, grazie.

Si tratta di un controesame brillantissimo, tecnicamente quasi perfetto.

Esso appartiene alla terza fra le tipologie individuate in precedenza.[1] Vediamo qui applicato il metodo che abbiamo definito «del distruggere la storia per cancellare la deposizione».

Il caso esaminato ci consente una precisazione a proposito di tale metodo e in particolare sul senso della definizione. Quando parliamo di distruggere la storia intendiamo tanto il caso in cui il controesame consegua il risultato di demolire la stessa coesione strutturale del racconto fornito dal teste, rendendolo oggettivamente inattendibile e inutile a sostenere qualunque ipotesi processuale, quanto il caso in cui il controesame colpisca uno dei segmenti del racconto (o comunque dell'apporto conoscitivo fornito dal teste) rendendolo inutile a sostenere una specifica ipotesi processuale (nel caso di specie: l'ipotesi che quel determinato imputato fosse responsabile della rapina e vi avesse preso parte in qualità di palo), ma non qualunque altra ipotesi.

Alla luce di tale definizione, possiamo dire senz'altro che in questo caso l'obiettivo di elidere dal processo la deposizione – perlomeno con riferimento alla posizione dell'imputato accusato di aver svolto il ruolo di palo – è stato sicuramente raggiunto. Vediamo in concreto come.

La prima notazione riguarda l'approccio del difensore con il testimone. Si tratta di un approccio evidentemente amichevole e rassicurante. Questo atteggiamento trova giustificazioni tanto sul piano della impostazione tattico-strategica quanto sul piano deontologico.

Il teste in questione non è infatti un teste falso. Per essere più precisi: non esiste alcun elemento da cui desumere una menzogna consapevole e, al contrario, è agevole supporre che l'eventuale errore nel riconoscimento fotografico[2] sia stato frutto di una combinazione del tutto involontaria fra difetto di percezione e sovrapposizione di dati della memoria.

Rispetto a un simile teste, come si è detto,[3] i toni aggressivi e intimidatori vanno evitati non solo perché inutili e spesso dannosi ma anche perché contrari a un dovere deontologico.

Il controesaminatore sembra consapevole di tutto questo e, sin dalla prima domanda, cerca di rassicurare il testimone per superare la barriera fisiologica di diffidenza che sempre esiste fra chi abbia reso dichiarazioni pregiudizievoli per una parte processuale e chi gli interessi di quella parte debba tutelare.

Si noti, in questa prospettiva amichevole, l'impostazione potremmo dire minimalista della prima domanda. L'avvocato comunica infatti al teste di avere solo bisogno di qualche chiarimento, così implicitamente dando a intendere di non nutrire dubbi sulla attendibilità complessiva del racconto e, in definitiva, sulla buona fede del testimone.

Tutto il seguito del controinterrogatorio è poi punteggiato da espressioni rassicuranti;[4] si nota inoltre l'intento di evitare conflitti incidentali con la controparte, il pubblico ministero. L'obiettivo strategico del controesaminatore richiedeva infatti un incedere sereno e non conflittuale con il teste; tale serenità non doveva essere compromessa da schermaglie con il pubblico ministero.

Appena il caso di considerare, naturalmente, che il buon esito di un controesame così strutturato dipende, oltre che da una impostazione tattico-strategica accurata, da una indagine difensiva adeguata che ha consentito di enucleare lo spunto, l'idea chiave (quella della confusione nel riconoscimento fotografico) attorno alla quale ruota la sequenza delle domande nonché, verosimilmente, la complessiva strategia difensiva.

L'unico errore commesso dal difensore in questo controesame è nella penultima domanda: l'avvocato chiede al teste se la persona raffigurata nella foto della partita sia la stessa che, con il ruolo di palo, prese parte alla rapina. Con questa domanda il controesaminatore corre il rischio di disperdere lo straordinario risultato conseguito fino a quel momento. La risposta sarebbe potuta essere infatti semplicemente affermativa. Il risultato del controesame si sarebbe così esaurito con la dimostrazione di un difetto di memoria del teste sul particolare della partita di calcio. L'attendibilità del teste sarebbe stata seriamente scalfita; non sarebbe stato però del tutto sovvertito l'esito dell'esame diretto.

Si sarebbe portati a dire che il difensore commetta questo errore (che per sua fortuna non produce alcuna conseguenza, poiché il teste a quel punto ha perso ogni fiducia nei suoi ricordi e nella sua capacità di riferirli) perché preso dall'ansia di fissare il risultato così abilmente preparato. È proprio quell'ansia che rischia di danneggiarlo gravemente. La domanda con cui correttamente e impeccabilmente concludere il controesame era quella formulata in realtà per ultima. Essa è concepita in modo tale da chiudere psicologicamente nell'angolo il teste. Se infatti il significato di questa domanda non è diverso da quello della domanda (errata) che la precede, la struttura è tale da porre al sicuro l'interrogante da ogni spiacevole sorpresa.

Si tratta di una domanda della quale l'esaminatore già conosce la risposta. Il teste non può dichiarare di essersi reso conto, al momento della rapina, che il palo era la persona con cui non molti giorni prima aveva giocato a calcio. Le sue dichiarazioni precedenti e in particolare l'affermazione di non avere mai visto prima della rapina l'imputato in questione non glielo consentono.

Il teste dunque ammette di non avere identificato, al momento della rapina, il palo con il giocatore di calcio. Questa ammissione rende altamente inattendibile la sua individuazione mentre un significato particolare acquista, proprio in rapporto alla genesi di tale individuazione, una dichiarazione precedente. Il teste, riferendo del riconoscimento fotografico negli uffici di polizia, ha infatti dichiarato: «Mi sembrava di riconoscerlo ma non ero sicuro, la foto non era somigliantissima. Poi più la guardavo più mi sembrava che era lui...».

È evidentemente agevole per il difensore, dato l'esito del controesame, sostenere che nella memoria del teste si verificò una sovrapposizione, una sorta di corto circuito fra il ricordo della rapina (il cui palo poteva somigliare all'imputato) e il ricordo non consapevole delle sembianze del calciatore. È una impostazione suggestiva e, peraltro, non priva di fondamento scientifico.

Spiega Gulotta, trattando della psicologia della testimonianza, che «una distorsione percettiva particolarmente pericolosa nel processo penale può essere dovuta al cosiddetto trasferimento inconsapevole di memoria per il quale una persona può venir confusa con un'altra, la cui immagine è più nota o è associata a qualche particolare che la richiama più facilmente alla memoria».[5]

È quanto, con ogni probabilità, è accaduto nel caso ora illustrato, nel quale significativamente evidente è la funzione del controesame come strumento dialettico per la ricerca della verità.

4
Il teste esperto

Due sono le situazioni che presentano le maggiori oggettive difficoltà anche per il controesaminatore più esperto e avveduto. Esse si verificano quando sia necessario sottoporre a controinterrogatorio soggetti deboli (bambini, anziani, disabili) e, per altro verso, quando il soggetto da controesaminare sia un esperto di qualche disciplina: periti, consulenti, ufficiali di polizia giudiziaria ad alta specializzazione.

Entrambe queste situazioni comportano, per ragioni opposte ma ugualmente intense, il più alto coefficiente di rischio che il controesame, se non condotto con la massima cautela, possa ritorcersi contro chi lo effettua, aggravandone la relativa posizione.

Del controesame dei soggetti deboli parleremo in un successivo capitolo. È questo il momento di affrontare il tema dei cosiddetti testi esperti.

Il primo caso pratico è costituito dal controesame condotto dal pubblico ministero nei confronti di un consulente della difesa, nell'ambito di un processo di corte di assise.

61

La vicenda processuale riguarda un caso di omicidio. Gli elementi proposti dall'accusa a carico dell'imputato consistono sostanzialmente in dichiarazioni testimoniali e negli esiti dell'accertamento effettuato con la metodica del kit-tampone (il cosiddetto stub).

Gli esiti del kit-tampone evidenziano la presenza, su una mano dell'imputato, di una particella composta da piombo, bario e antimonio. Si tratta di particella di provenienza univoca; piombo, bario e antimonio non si combinano infatti in natura e particelle contenenti insieme tali elementi sono univocamente provenienti dall'esplosione di colpi di arma da fuoco. L'intento della difesa, a mezzo del consulente, è di dimostrare che l'imputato può essersi inquinato accidentalmente la mano con la particella di piombo, bario e antimonio, maneggiando abiti con i quali afferma di essersi recato a caccia nei giorni precedenti l'omicidio.

Si riportano le parti significative dell'esame del consulente ad opera della difesa che lo ha richiesto.

Difensore: Che attività svolge lei?
Consulente: Medico legale. Più attività di indagine balistica, inerente praticamente ad armi e tutti i fenomeni ad esse connessi.
Difensore: Questa attività di medico legale dove la svolge?
Consulente: Presso l'Università di..., Istituto di medicina legale.
omissis

Difensore: Lo stub serve per rilevare se ci sono particelle provenienti da deflagrazione di polvere da sparo. In realtà l'inquinamento di una superficie, sia tessuto, sia epidermide umana, può avvenire anche per altre vie oltre allo sparo, cioè oltre all'uso diretto di un'arma da fuoco?

Consulente: Sì, questa ipotesi di positività su persone che non hanno sparato è un'ipotesi che è stata anche prospettata in un convegno a Taormina. L'ipotesi che una persona si possa inquinare pur stando accanto a uno che spara fu proprio una delle indicazioni che ci venne fornita da Scotland Yard. Era un caso in cui nella stessa auto c'erano più persone, uno aveva sparato e invece erano stati incriminati degli altri che stavano accanto e non c'entravano niente; tutto perché c'era stato questo inquinamento accidentale di persone che si trovavano nella macchina.

Difensore: Di tali ipotesi di inquinamento indiretto ce ne possono essere molte o no?

Consulente: Ipotesi di trasferimento si possono realizzare ogniqualvolta c'è un contatto con la superficie inquinante, a sua volta inquinata.

omissis

Difensore: È possibile un trasferimento di particelle da indumento ad epidermide umana, quindi da indumento a mani?

Consulente: Sì, ogniqualvolta... quando la mano di una persona viene a contatto con queste particelle... si possono benissimo inquinare le mani di questa persona se l'indumento è inquinato. Lì ci sono cariche elettrostatiche prevalentemente, per cui il passaggio da un tessuto a un altro avviene facilmente. Le cariche elettrostatiche trasferiscono queste particelle da un corpo caricato positivo a un corpo negativo, quindi si trasferiscono subito.

L'esame ha raggiunto il suo obiettivo. Con le parole categoriche di un accademico entra infatti nel processo una affermazione fondamentale per l'impostazione difensiva. Appare come un dato scientificamente pacifico che i residui dello sparo possano trasferirsi da un indumento inquinato all'epidermide umana.

L'importanza dell'acquisizione è di tutta evidenza ove si consideri che essa pone le basi per l'elisione, o quanto meno per il grave indebolimento dell'impostazione accusatoria. Alla difesa, prendendo le mosse da questa affermazione del consulente, sarà sufficiente fornire la prova che, in qualche momento, abiti dell'imputato entrarono in contatto (per esempio andando a caccia) con residui dello sparo, per poi chiudere la catena argomentativa con la seguente conclusione: non si può escludere che il residuo univoco di sparo reperito sulla mano dell'imputato sia stato ivi trasferito per contatto accidentale con abiti inquinati, piuttosto che (come sostiene l'accusa) a seguito di contatto con l'arma utilizzata per l'omicidio.

Il potere di suggestione di tale conclusione appare amplificato dalla formulazione categorica dell'asserzione del consulente. Questi infatti enuncia quella che sembra una verità scientifica sperimentale, non a caso utilizzando il verbo nel modo indicativo e al tempo presente («le cariche elettrostatiche *trasferiscono* queste particelle da un corpo caricato positivo a un corpo negativo, quindi si trasferiscono subito»). La forma adottata è densa di significato, se si considera che l'indicativo è il modo verbale della certezza e della obiettività e, in particolare, che si utilizza il presente indicativo per indicare un dato di fatto che è sempre vero o un evento che si determina sempre, in modo naturale, indipendentemente dalle circostanze.[1]

Il controesaminatore deve quindi confrontarsi con l'affermazione di una verità scientifica formulata da un esperto di livello universitario.

Di seguito il testo del controesame condotto dal pubblico ministero.

Pubblico Ministero: Quindi lei è titolare di cattedra nell'Università di X...

Consulente: Sì.

Pubblico Ministero: Che cattedra?

Consulente: Medicina legale.

Pubblico Ministero: Quindi lei è proprio titolare della cattedra di medicina legale, insegna, tiene un corso di medicina legale?

Consulente: Una delle cattedre.

Pubblico Ministero: Cioè non ha una cattedra di balistica forense o cose di questo genere?

Consulente: Ho il centro di balistica forense, come struttura annessa.

Pubblico Ministero: In sostanza la sua cattedra è una delle cattedre di medicina legale del relativo istituto; poi lei si occupa abitualmente di consulenze medico-legali e balistiche, come ci ha detto?

Consulente: Sì.

Pubblico Ministero: Mediamente quante consulenze fa all'anno? Una cifra sommaria.

Consulente: Non sono le consulenze che ci fanno maturare; sono gli studi.

Pubblico Ministero: Non ho alcun dubbio. Vuol rispondere alla mia domanda?

Consulente: Non è la consulenza. La consulenza è relativa.

Pubblico Ministero: Può dirci per cortesia, senza preoccuparsi di interpretare il senso delle domande, quante consulenze fa?

Consulente: Non glielo so dire.

Pubblico Ministero: A occhio e croce.

Consulente: Quaranta, cinquanta all'anno.

Pubblico Ministero: Così, sempre a occhio e croce, quante ne fa per l'accusa e quante per la difesa?

Consulente: Prevalentemente solo per l'accusa, per il pubblico ministero; per la difesa, modestamente, poche.

Pubblico Ministero: Quando io le chiedo quante consulenze fa, intendo consulenze in generale, quindi anche di tipo balistico. In maniera più specifica invece, quante consulenze fa in materia di residui dello sparo?

Consulente: Queste le faccio raramente perché l'apparecchiatura per farle è difficile reperirla, per cui l'indagine vera e propria, cioè, andare ad analizzare, la facciamo raramente.

Pubblico Ministero: Per problemi strutturali, se capisco bene.

Consulente: Sì.

Pubblico Ministero: Di recente, o anche non di recente, le è capitato di fare consulenze specifiche su residui di sparo su indumenti?

Consulente: Personalmente io, no.

Pubblico Ministero: Quindi questa tematica di cui ha parlato prima la conosce per essersi documentato su letteratura scientifica?

Consulente: Per incontri di studio.

Pubblico Ministero: In generale per la sua appartenenza alla comunità scientifica?

Consulente: Dove andiamo, sentiamo, discutiamo, vediamo...

Pubblico Ministero: Qualche udienza fa abbiamo sentito il tecnico della Polizia di Stato. Alcune sue spiegazioni, a me che probabilmente non capisco bene, non sono state del tutto chiare. Vorrei che lei adesso ci chiarisse un po' meglio la dinamica fisica dello sparo.

Consulente: Penso che l'abbia spiegato in maniera abbastanza chiara.

Pubblico Ministero: Chi?

Consulente: Il consulente che è venuto, ho letto il...

Pubblico Ministero: Io non ho capito bene.

omissis

Pubblico Ministero: Per capire la vicenda fisica di queste particelle, vuole dirci quali sono i valori di temperatura e di pressione durante le varie fasi dello sparo?

Consulente: Sono molto alti, altrimenti non ci sarebbe la fusione.

Pubblico Ministero: Quali sono?

Consulente: Intorno ai quattro, cinquecento gradi.

Pubblico Ministero: Questo è il valore più alto?

Consulente: Adesso mi chiede qualcosa che io non so di preciso.

Pubblico Ministero: I valori di fusione e di ebollizione di piombo, bario e antimonio quali sono?

Consulente: Bisogna andare a vedere il momento di fusione di questi elementi.

Pubblico Ministero: E quali sono i momenti di fusione?

Consulente: Siamo sui quattro, cinque, seicento gradi.

Pubblico Ministero: A me risultano dei dati diversi.

Consulente: Me li dica, può darsi che sbaglio io.

Pubblico Ministero: A me risultano dati diversi, sia per la fusione che per l'ebollizione. A me risulta che il punto di fusione del piombo, per esempio, è di trecentoventisette gradi centigradi.

Consulente: Il piombo sì... ma il piombo non rientra in questa...

Pubblico Ministero: Come sarebbe a dire?

Consulente: I tre elementi sono... sì, il piombo... chiedo scusa... piombo, antimonio e bario.

Pubblico Ministero: Dicevo, dunque, il piombo trecentoventisette gradi; degli altri elementi lei sa dirci i punti di fusione e di ebollizione?

Consulente: Sicuramente è superiore.

Pubblico Ministero: Quali sono?

Consulente: Del bario e dell'antimonio... è superiore al piombo.

Pubblico Ministero: Il grado di ebollizione del bario e dell'antimonio è superiore al piombo?

Consulente: Non il grado di ebollizione, il grado di fusione.

Pubblico Ministero: E quello di ebollizione?

Consulente: Il grado di ebollizione... si equivalgono... non è che ci siano molte...

Pubblico Ministero: Mi dispiace, ma qui non siamo d'accordo. Adesso le dico i dati che risultano a me. Parliamo innanzitutto di fusione: trecentoventisette gradi per il piombo; seicentotrenta gradi per quanto riguarda l'antimonio; settecentoventicinque per quanto riguarda il bario. Per l'ebollizione invece mi risultano milleseicentoventi gradi per il piombo e quindi un valore superiore agli altri, perché per il bario abbiamo millecentoquaranta gradi e per l'antimonio milletrecentottanta. Come vede questi dati contraddicono quello che lei ha detto prima: lei ha detto infatti che i valori di temperatura più alti nel corso delle varie fasi dello sparo sono di circa cinquecento gradi.

Consulente: Sarà cento in più, cento in meno...

Pubblico Ministero: Purtroppo la devo contraddire. Da qualsiasi testo di balistica forense si può leggere che i valori di temperatura più alti raggiunti nel corso dello sparo si collocano sui tremila e seicento gradi.

Consulente: Io non posso a questo punto darle indicazioni. Se lei si è andato a documentare, io non mi sono documentato, quindi non ho questa possibilità di contraddirla, ma sta di fatto che il fenomeno è sempre quello e tutto ciò che segue è sempre lo stesso.

Pubblico Ministero: I valori di pressione quali sono durante lo sparo? Perché la creazione di queste particelle è funzione di due fattori: temperatura e pressione. È corretta questa affermazione?

Consulente: Si hanno queste particelle... si hanno durante l'esplosione.

Pubblico Ministero: Ripeto. È corretto dire che la formazione di queste particelle è determinata da questi due fattori: temperatura e pressione?

Consulente: Sì, le particelle si formano per un fenomeno fisico che è dovuto alla tensione di superficie, perciò diventano sferiche.

Pubblico Ministero: Torniamo ora al discorso della temperatura. Le particelle di cui parliamo, in particolare questa aggregazione [piombo, bario e antimonio], in quale *range* di temperatura si formano?

Consulente: Più o meno quello che ha detto lei.

Pubblico Ministero: Non può darci una indicazione più precisa? Io vedo che nella letteratura scientifica questo è indicato in modo preciso.

Consulente: Le devo rispondere solo se capisco dove vuole arrivare... un esame di fisica io non lo faccio qua.

Pubblico Ministero: Nessuno vuole farle l'esame di fisica. Qui stiamo cercando di capire la vicenda fisica di queste particelle per poi poter applicare queste considerazioni scientifiche a dei dati concreti e fare quello che lei suggeriva prima, cioè l'interpretazione dei dati. Ripropongo la domanda: lei sa in quale *range* di temperatura si formano queste particelle?

Consulente: Se lo sa lei è inutile che glielo dico io.

Pubblico Ministero: Allora lei non sa a quale temperatura si formano queste particelle?

Consulente: Non mi sono andato mica a documentare.

Pubblico Ministero: Allora vorrei passare a un altro punto. Quando ha ricevuto l'incarico per questo processo?

Consulente: Non ricordo. Diverso tempo fa.

Pubblico Ministero: Non è in grado di localizzare nel tempo?

Consulente: Due, tre mesi fa.

Pubblico Ministero: Ci può dire esattamente che quesiti le sono stati proposti?

Consulente: Mi avevano incaricato di esaminare quelle relazioni che erano state messe a disposizione.

Pubblico Ministero: Quindi quella del fascicolo del pubblico ministero. E il kit-tampone lo ha esaminato?

Consulente: No.

Pubblico Ministero: Come mai?

Consulente: Come faccio ad esaminarlo... la perizia era già stata espletata, io ho fatto sugli atti...

Pubblico Ministero: Non le è stato richiesto di esaminare il kit-tampone?

Consulente: A parte il fatto che non era a disposizione.

Pubblico Ministero: No, devo correggerla. Era a disposizione.

Consulente: Non mi è stato chiesto.

omissis

Pubblico Ministero: Vorrei tornare un attimo a quello che lei ha detto prima sulle varie possibilità di inquinamento da sparo, alla tematica del possibile inquinamento degli abiti e così via. Lei ha fatto cenno prima a un convegno di Taormina, dove era stato presentato uno studio di Scotland Yard, ho capito bene?

Consulente: Sì, fu a Taormina.

Pubblico Ministero: In generale lei può indicarci qualche studio scientifico che si occupi della contaminazione accidentale di tipo ambientale?

Consulente: I lavori più... diciamo che i capisaldi sono quelli americani, di Wolten e collaboratori.

Pubblico Ministero: Beh, ma questi sono studi un po' vecchi, parliamo del 1977 e 1979.

Consulente: Non credo che ci sia qualcosa di più aggiornato.

Pubblico Ministero: Allora lei non è a conoscenza di uno studio dell'Università di Torino dei professori o dottori Virgili e Varetto, in collaborazione con il Centro investigazioni scientifiche dei Carabinieri?

Consulente: ... no, non lo conosco.

Pubblico Ministero: Io ho qui questo studio; è un lavoro di un paio di anni fa, proprio relativo alla contaminazione ambientale. Non sono stati accertati casi di trasferimento di particelle da indumenti a mani... Comunque le risulta di studi, anche di questi americani, Wolten e altri, che si siano occupati della contaminazione accidentale di mani per contatto con abiti contaminati?

Consulente: Ma non credo che loro abbiano fatto questo tipo di accertamenti; loro hanno fatto accertamenti su tipi di lavori [per verificare se taluni tipi di lavorazioni potessero determinare particelle omologhe ai residui dello sparo].

Pubblico Ministero: Quindi, quando lei afferma che è possibile il passaggio di residui di sparo da un abito a una mano, fa una congettura basata sulle sue cognizioni scientifiche, è esatto?

Consulente: Su dati...

Pubblico Ministero: Sì, dati scientifici, certo. Quello che io voglio dire è che la sua è una affermazione congetturale, ma lei non ha conoscenza – né per averlo verificato personalmente né per averlo letto su uno studio scientifico – di casi in cui questa contaminazione ci sia stata?

Consulente: No, io non conosco, a parte questa segnalazione fatta da Scotland Yard in cui loro stessi hanno segnalato questa contaminazione...

Pubblico Ministero: No. Quella era una contaminazione di gente vicina allo sparo, non di mani per contatto con abiti, in momenti successivi allo sparo. Io le ho chiesto se...

Consulente: Se conosco casi di trasferimento [da abiti a mani]? No.

Pubblico Ministero: Non ho altre domande.

Il controesame del pubblico ministero, certamente riconducibile alla categoria della *cross-examination* distruttiva,[2] rivela una impostazione strategica scandita da due passaggi fondamentali.

Conviene esaminare da vicino questi passaggi per cogliere, all'interno del percorso strategico, anche il senso delle scelte tattiche.

Il difficile punto di partenza del controesame è dato da una affermazione categorica (dotata dell'apparenza di una verità sperimentale) formulata da un docente universitario della materia in discussione.

Il controesaminatore ha pertanto la necessità strategica, in primo luogo, di verificare l'effettivo grado generale di competenza tecnica del consulente (competenza presunta, fino a prova contraria, per l'esibizione della qualifica di docente universitario). Questo obiettivo viene perseguito vagliando le conoscenze di fisica generale del consulente, il quale effettivamente si accorge – troppo tardi – di essere sottoposto a un esame di fisica, esame nel quale viene spettacolarmente bocciato.

Il secondo passaggio strategico del controesame muove dalla demolizione della attendibilità generale del consulente per procedere a un attacco di contenuto specifico. La competenza dell'esaminato viene infatti vagliata sul campo specifico dell'aggiornamento professionale nell'ambito della materia di cui si parla. Anche in questo caso il consulente ha un vistoso cedimento quando dimostra di non conoscere gli studi più recenti sull'argomento del quale si è presentato come specialista. Questo passaggio consolida il primo risultato (demolizione dell'attendibilità generale del consulente) e introduce una accelerazione finale distruttiva: il pubblico ministero, in forma di domanda, trae le sue conclusioni costringendo – date le premesse – il consulente a una capitolazione definitiva.

Per conseguire questi risultati il controesaminatore entra direttamente nel territorio disciplinare del consulente lanciando una sfida che, in apparenza, presenta un alto grado di pericolosità processuale.

Se, infatti, come sarebbe stato naturale attendersi, il consulente avesse risposto correttamente alle ripetute domande rivoltegli su temi di fisica generale (i punti di fusione e di ebollizione) e sullo stato dell'arte balistico-forense, la sua attendibilità ne sarebbe stata (o perlomeno sarebbe apparsa) rinforzata.

Vediamo però più da vicino, sotto il profilo tattico, quale è stata la manovra di avvicinamento del pubblico ministero e in quale misura questa manovra ha consentito di ridurre il grado di pericolosità processuale cui si faceva cenno.

La prima sequenza di domande mira a verificare il grado di competenza pratica del consulente nel campo di cui si discute. Qui il pubblico ministero segna un primo punto a proprio vantaggio quando il consulente è costretto ad ammettere di non avere mai effettuato consulenze relative a residui dello sparo su indumenti. Non è un punto fondamentale ma assicura al controesaminatore, per stare ad un gergo scacchistico, un vantaggio di posizione.

La breve sequenza di domande che conduce a tale ammissione è strutturata in modo da ridurre i rischi per la parte che controesamina. Il consulente avrebbe infatti potuto rispondere di essere dedito abitualmente a perizie del tipo suddetto. A fronte però di domande formulate con tono neutro, di contenuto preliminare e di carattere esplorativo, una simile asserzione non avrebbe modificato la situazione creatasi a conclusione dell'esame diretto.

Ricordiamo ancora una volta che il consulente si presenta come un esperto di alto livello, dal quale è lecito presumere conoscenze teoriche e competenze pratiche.

Sta di fatto però che una prima verità, implicitamente comunicata dal consulente nel corso del suo esame diretto, viene subito a cadere in questa fase introduttiva del controesame.

Non si tratta di un passaggio fondamentale. Il consulente si accredita infatti come titolare di un sapere scientifico derivante dal suo status professionale e dalla sua appartenenza alla comunità scientifica. È possibile che egli, pur non avendo mai espletato consulenze in materia di residui dello sparo su indumenti, sia abilitato a formulare affermazioni categoriche con enunciazione di verità scientifiche frutto di studi svolti da altri e, comunque, dell'applicazione di leggi fisiche universalmente riconosciute.

Messa la questione in altri termini: ove il solo risultato del controesaminatore fosse consistito nell'ammissione fatta dal consulente di non aver mai direttamente effettuato perizie relative allo specifico argomento in discussione, ciò avrebbe solo attenuato l'impatto processuale delle dichiarazioni del consulente stesso, con una sostanziale ininfluenza sul tema probatorio.

Il pubblico ministero muove comunque da un vantaggio di posizione conseguito senza rischi. Si tratta però ancora di fase tattica, preparatoria del primo fondamentale passaggio strategico consistente nella verifica delle conoscenze di fisica generale del consulente.

È opportuno evidenziare che il consulente, già in questa fase del controesame, è in qualche difficoltà e cerca di assumere un atteggiamento difensivo.

Il controesaminatore, correttamente, evita la contrapposizione e mantiene un contegno di apparente basso profilo, necessario in questa fase il cui punto cruciale coincide con la richiesta di indicare i valori di fusione e di ebollizione degli elementi – piombo, bario e antimonio – che compongono i residui dello sparo.

Questo passaggio del controesame suggerisce l'enunciazione di una regola di carattere generale.

Domande relative ai fondamenti della disciplina del consulente vanno formulate in tono del tutto asettico, senza alcuna sfumatura aggressiva. Tali domande portano infatti con sé il rischio che l'esaminato impartisca, con tono polemico e con effetti processuali devastanti, una vera e propria lezione della sua disciplina. Il controesaminatore dovrà pertanto rivolgerle come se intendesse lui stesso chiarirsi le idee su alcune premesse delle argomentazioni tecniche proposte dal consulente e dovrà essere pronto ad abbandonare velocemente l'argomento non appena si renda conto della eventuale capacità del consulente di rispondere correttamente.[3]

A queste condizioni, l'eventualità che il consulente dia risposte ineccepibili sui fondamenti della sua disciplina costituisce un passaggio neutro del controesame, passaggio che, se non avvantaggia la parte che controesamina, nemmeno la danneggia.

Nel caso in questione, però, il consulente crolla in modo rovinoso in quello che, esattamente ma tardivamente, si rende conto essere un vero e proprio esame di fisica.

Il primo obiettivo strategico del pubblico ministero è, al termine di questa parte del controesame, sostanzialmente raggiunto.

La deposizione del consulente è stata gravemente screditata, senza che peraltro il controesaminatore abbia in alcun momento mutato il tono o il ritmo delle sue domande. La demolizione dell'attendibilità del consulente appare così un fatto quasi ineluttabile, rispetto al quale il controesaminatore ha svolto un ruolo apparentemente notarile.

Va poi rilevato come questa parte del controesame si interrompa nel momento di massimo vantaggio psicologico per il pubblico ministero, che non commette l'errore di fare commenti sarcastici, di trarre conclusioni o, peggio, di aggredire il consulente.[4]

L'effetto di suggestione, soprattutto su una giuria popolare, è agevolmente immaginabile.

Il passaggio alla fase successiva viene quindi attuato nel momento di massima debolezza dell'esaminato. Si tratta di una fase di contenuto tattico che serve a consolidare il vantaggio dell'interrogante. Il pubblico ministero richiede infatti al consulente in cosa sia consistito il suo incarico e, in particolare, se abbia provveduto all'esame diretto del reperto.

La risposta negativa (del cui effetto screditante il consulente si rende ben conto se cerca goffamente di sostenere che il kit-tampone non era disponibile) indebolisce ulteriormente la posizione dell'interrogato e prepara l'affondo decisivo del pubblico ministero.

Al consulente viene infatti richiesto di indicare i lavori scientifici dai quali la sua affermazione relativa al trasferimento di residui di sparo troverebbe fondamento. È in questa fase che si determina lo scontro cruciale con il controesaminatore. Questi, dimostrando di padroneggiare la materia (quantomeno sotto il profilo della conoscenza della letteratura scientifica) in maniera più sicura e aggiornata dell'esperto, esibisce, con un vero colpo di teatro, un recentissimo studio della cui esistenza il docente universitario era ignaro.

È maturo il passaggio finale con il quale si produce l'elisione totale del contributo fornito dalla deposizione del consulente all'impostazione difensiva. Con l'ultima sequenza di domande l'esaminato è infatti costretto a una ammissione che, di fatto, cancella la sua più importante affermazione resa nel corso dell'esame diretto. Egli dichiara infatti di non conoscere alcun caso sperimentalmente verificato di trasferimento di residui di sparo da indumenti inquinati all'epidermide umana.

L'affermazione categorica del consulente, presentata come una verità scientifica, viene ricondotta alla sua effettiva consistenza. Si tratta cioè di una mera ipotesi, priva di qualsiasi riscontro sperimentale. È una affermazione congetturale (per la cui formulazione sarebbe stato doveroso l'uso del condizionale e non dell'indicativo) che il consulente ha proposto basandosi sulle sue conoscenze di fisica generale. Conoscenze rivelatesi però, nel corso del controesame, catastroficamente carenti.

Il cerchio del controesame si è chiuso. Opportunamente il pubblico ministero non fa commenti, non formula ulteriori domande e interrompe il controesame nel momento del massimo vantaggio.

Sembra qui recepita una delle fondamentali lezioni impartite nei classici della *cross-examination*. Una lezione efficacemente sintetizzata dalla seguente massima della tradizione *adversary* nordamericana: «When you have scored your point on cross-examination, for heaven's sake, quit».[5]

Casi di controesami dall'esito eclatante, come quello riportato fin qui, non sono frequenti. Un così vistoso risultato della *cross-examination* propone alcuni importanti interrogativi.

Il successo della *cross-examination* è in questo caso il frutto di una rigorosa pianificazione o è piuttosto l'esito di una sequenza brillante quanto casuale e fortunata?

Quale sarebbe stato l'esito del controesame ove il consulente avesse correttamente risposto alle domande di contenuto tecnico rivoltegli dal pubblico ministero?

Il controesaminatore si è attenuto, in questo caso, alla «massima comunemente riconosciuta secondo cui nella *cross-examination* non si debbano porre mai, per non provocare dichiarazioni pregiudizievoli, domande cruciali le cui risposte siano ignote o non logicamente prevedibili»?[6]

I passaggi fondamentali del verbale, dal punto di vista delle questioni ora proposte, sono sostanzialmente due: quello in cui il consulente afferma categoricamente, come se enunciasse una verità sperimentalmente acquisita, che i residui dello sparo «si trasferiscono subito» da indumenti inquinati all'epidermide; quello in cui il pubblico ministero cita un recentissimo studio scientifico che non ha accertato un solo caso di trasferimento accidentale di residui dello sparo da abiti inquinati a epidermide umana.

L'individuazione di tali passaggi consente di formulare una considerazione decisiva per la corretta lettura critica di questo controesame. Quando il pubblico ministero comincia la sua *cross-examination* è in possesso di una informazione strategicamente fondamentale: il consulente, affermando in termini positivi quella che al più poteva essere una congettura, ha enunciato una non-verità sotto il profilo delle regole della scienza sperimentale. Si tenga presente infatti che il pubblico ministero aveva già a disposizione uno studio (questo sì) scientifico dal quale non risultava alcun riscontro sperimentale alla ipotesi del trasferimento accidentale dei residui dello sparo da abiti inquinati a mani o comunque a epidermide.

Il pubblico ministero conosceva anticipatamente la risposta corretta alla domanda cruciale del suo controesame; era quindi in grado di mantenere il controllo della situazione tanto nel caso in cui il consulente avesse risposto correttamente, quanto nel caso in cui il consulente avesse perseverato nell'affermazione formulata in sede di esame diretto. Nella prima ipotesi il controesaminatore avrebbe infatti incassato una risposta favorevole alla sua impostazione e, sostanzialmente, ablativa delle precedenti dichiarazioni del consulente. Nella seconda ipotesi, appoggiandosi sull'autorità di uno studio sperimentale aggiornato, avrebbe avuto gioco facile nel demolire la credibilità dell'esaminato.

In tale prospettiva, l'ipotesi che il consulente rispondesse correttamente alle domande sui fondamenti della sua disciplina (che, cioè, superasse l'esame di fisica) era strategicamente tollerabile. Il verificarsi di questa eventualità avrebbe reso certamente meno spettacolare e drammatica la *cross-examination*, ma non avrebbe comunque sottratto il consulente al difficile confronto fra l'imprudente affermazione resa in sede di esame diretto e la documentazione specialistica di cui il pubblico ministero si era opportunamente munito.

A margine di queste considerazioni viene naturale il richiamo alla prima delle *Thirty maxims of cross-examination* di Peter Megargee Brown. Nella pratica del controesame come tecnica, disciplina e arte «there is no substitute for preparation».[7]

Il secondo caso proposto in questo capitolo è tratto da un processo di corte di assise relativo a una vicenda di particolare efferatezza. Le imputazioni riguardano infatti il ratto a fine di libidine, la violenza carnale e il successivo, brutale omicidio di una ragazza di quattordici anni.

Viene proposto il controesame di un consulente medico introdotto dalla difesa di uno degli imputati. La deposizione del consulente mira a confutare due passaggi fondamentali dell'impianto accusatorio; l'uno relativo al fatto che la ragazza fu a lungo legata a una sedia mentre subiva le sevizie; l'altro relativo all'individuazione del momento della morte.

Il consulente dell'accusa, che curò l'autopsia, avendo localizzato su un braccio della vittima ecchimosi di particolare forma e struttura, le aveva attribuite, in termini di elevata probabilità, a procedure di contenzione.

Ecco adesso i passaggi salienti dell'esame diretto condotto dalla difesa.

Avvocato: Dottor X..., può dire alla Corte quali sono i suoi titoli?

Consulente: Sono ricercatore di medicina legale presso l'Università di X...

Avvocato: Senta, dottore, nella sua carriera quante autopsie ha svolto lei fino adesso?

Consulente: Seicento, settecento, tutte giudiziarie.

omissis

Avvocato: Lei ci può dire qualcosa sui segni di contenzione sul cadavere? Lei ha notato se sul cadavere ci sono segni di una lunga segregazione?

Consulente: Io non ho notato alcun segno di lunga segregazione o, diciamo, anche di legatura.

Pubblico Ministero: Vorrei, per piacere, che le domande fossero concepite con riferimento al tipo di accertamenti espletati dal consulente, vale a dire accertamenti effettuati sulle foto del cadavere, come lui stesso ci ha detto all'inizio. Quindi la domanda precedente andrebbe così concepita: dall'esame delle fotografie ha notato segni di contenzione, perché il cadavere...

Avvocato: Dall'esame delle fotografie ha notato segni di lunga segregazione e di contenzione sul cadavere?

Consulente: No.

Avvocato: Ci può spiegare per quale ragione?

Consulente: Dunque, mi devo rifare un po' alla consulenza del consulente del pubblico ministero, che parla di quattro escoriazioni sull'avambraccio sinistro, che lui ritiene compatibili con una legatura con un legaccio. Io non ritengo queste lesioni compatibili con questa legatura, infatti dalle foto emerge che si tratta di quattro escoriazioni trasversali parallele tra loro, sembra quasi a uguale distanza, spesse circa due o tre millimetri e di lunghezza pressoché uniforme.

omissis

Le escoriazioni sono prodotte da superfici relativamente scabre e ruvide, per cui ritengo che queste quattro escoriazioni non possono essere frutto di legacci, di corde, bensì di uno strumento che aveva quelle caratteristiche e che ha attinto la parte in questione.

La deposizione del consulente della difesa prosegue a lungo, imperniata su tre punti:

1) il consulente del pubblico ministero ha grossolanamente sbagliato anche solo a ipotizzare che certi

traumatismi fossero dovuti a una azione di contenzione, dovendosi piuttosto attribuire tali traumatismi a percosse con una cassetta per la frutta;

2) il consulente del pubblico ministero ha grossolanamente sbagliato nel ritenere non immediatamente letale un colpo di bastone inferto sul capo della vittima;

3) il consulente del pubblico ministero ha grossolanamente sbagliato (dimostrando di ignorare i fondamenti stessi della medicina legale) nell'individuare l'ora della morte.

Il tono complessivo della deposizione è pesantemente critico nei confronti dell'operato del consulente del pubblico ministero, il quale viene fatto apparire come gravemente incompetente.

Date queste premesse ecco adesso il controesame condotto dal pubblico ministero.

Pubblico Ministero: Quindi, se ho inteso bene, lei è ricercatore di medicina legale?

Consulente: Sì.

Pubblico Ministero: Può per piacere, dottore, dire alla Corte qual è la nozione di morte, secondo la legge?

Consulente: La nozione di morte è l'interruzione...

Pubblico Ministero: La nozione di morte prevista dalla legge.

Consulente: La nozione di morte secondo la legge adesso sinceramente mi sfugge...

Pubblico Ministero: Scusi, lei è ricercatore di medicina legale?

Consulente: Certo, ma sono medico, quindi...

Pubblico Ministero: Vediamo un po', la nozione di morte come cessazione irreversibile di tutte le funzioni dell'encefalo le dice qualcosa?

Consulente: Certo.

Pubblico Ministero: Lo sa che così si esprime l'articolo 1 della legge 578/93? La conosce questa legge?

Consulente: No, mi sfugge.

Pubblico Ministero: È la legge che disciplina i modi di accertamento della morte. Comunque, dottore, lei categoricamente afferma che la vittima è morta per via di quel colpo fatale, del quale ci ha descritto gli esiti.

Consulente: Sì, che ha aperto il cranio.

Pubblico Ministero: Può dirci, per piacere, da dove legge che il dottor... fissa in dodici ore prima del ritrovamento la morte?

Consulente: Lo leggo nel verbale di accertamento urgente, ce l'ho qui se lo vuole...

Pubblico Ministero: Può per piacere prenderlo e leggere l'intestazione?

Consulente: Verbale di descrizione, ricognizione di cadavere.

Pubblico Ministero: Questo per lei è il verbale di accertamento urgente?

Consulente: No, è il verbale di descrizione e ricognizione di cadavere.

Pubblico Ministero: Invece la consulenza autoptica, se l'ha letta, cosa dice sul punto?

Consulente: La consulenza non fissa un orario preciso...

Pubblico Ministero: Credo che lei non ricordi bene, le consiglierei di guardarla.

Consulente: Ecco qui.

Pubblico Ministero: Ci vuole dire cosa dice la consulenza?

Consulente: Qui dice: «la temperatura rettale della salma era di circa un grado inferiore a quella ambientale, era cioè la fase di raffreddamento del soma cadaverico che appena prima precede l'equiparazione della temperatura a quella ambientale. Tale piccola differenza di temperatura, oscillando in genere tra 0,5 e 1 grado, si realizza tra la diciannovesima e la ventesima ora, e secondo altri, la ventiquattresima ora dal decesso».

Pubblico Ministero: Questo lo dicono i manuali di cui lei parlava prima?

Consulente: Sì.

Pubblico Ministero: Quindi questo è esatto?

Consulente: È esatto.

Pubblico Ministero: Quindi sotto questo profilo possiamo dire che i suoi appunti critici erano quantomeno imprecisi?

Consulente: Sì, però...

Pubblico Ministero: Lei ci ha parlato di settecento autopsie giudiziarie. Ci racconta di qualche autopsia su persone che erano state legate?

Consulente: Sì, mi ricordo di una autopsia di una persona che era stata legata...

Pubblico Ministero: Anzi, se prima di raccontarcela ci dice quante ne ha fatte, di questo tipo.

Consulente: Penso tre o quattro.

Pubblico Ministero: Ce le racconti tutte.

omissis

Pubblico Ministero: Quindi abbiamo chiarito che sono solo due su settecento le autopsie che lei ha effettuato su persone che erano state legate. Adesso la pregherei di prendere la fotografia da cui risultano quei segni che lei attribuisce al traumatismo con la cassetta della frutta. Si tratta della pagina diciannove. Isolando un singolo segno di questi che abbiamo qui nella fotografia, isolandolo dagli altri e ipotizzando di ritrovare solo questo sul braccio della ragazza, esso sarebbe compatibile con un singolo legaccio?

Consulente: Sì.

Pubblico Ministero: Senta, e se fossero stati utilizzati più pezzi di corda per legare, sarebbe questo segno complessivo compatibile con dei legacci?

Consulente: Separati l'uno dall'altro?

Pubblico Ministero: Separati l'uno dall'altro.

Consulente: Che il caso ha voluto a uguale distanza l'uno dall'altro...

Pubblico Ministero: Lei mi dice che fra questi segni la distanza è uguale?

Consulente: Non ho detto così.

Pubblico Ministero: Lei ha detto che il caso ha voluto eccetera. La distanza è uguale o non è uguale?

Consulente: Dalle foto sembrerebbe praticamente uguale.

Pubblico Ministero: Lei questo lo giudica a occhio o ha effettuato delle misurazioni?

Consulente: Non si può misurare su una foto perché...

Pubblico Ministero: Su questo la devo correggere perché, con apposite scale e con oggetti di lunghezza data presenti su una foto, è tranquillamente possibile misurare su una foto. Lei forse voleva dire che non si può misurare su questa foto?

Consulente: Certo.

Pubblico Ministero: Senta, mi può descrivere come dovrebbe essersi prodotto questo traumatismo da-colpo-della-cassetta-della-frutta?

Consulente: Con un colpo dall'alto verso il basso o orizzontale, come di spinta. Dipende molto dall'inclinazione del braccio che comunque doveva essere nudo.

Pubblico Ministero: E un colpo del genere produce – mi lasci passare l'espressione atecnica – una specie di tatuaggio del tipo di quello ritrovato sul polso della ragazza?

Consulente: Questa escoriazione, sì.

Pubblico Ministero: La sua esperienza professionale le ha consentito di analizzare direttamente lesioni di questo tipo?

Consulente: Da cassetta no.

Pubblico Ministero: Ci parli di qualche caso analogo.

Consulente: In una occasione si trattava di ricostruire chi fosse alla guida di una autovettura uscita di strada...

Pubblico Ministero: Mi rendo conto che tutto questo è interessante, ma rischiamo di allargare eccessivamente il discorso. Vorrei che lei ci parlasse di qualche esperienza specificamente assimilabile al caso in questione. Lei capisce meglio di me, essendo un tecnico, che ci troviamo di fronte a una ipotesi particolare che io vorrei comprendere meglio.

Consulente: Uno degli ultimi casi di omicidio di cui mi sono occupato riguardava un soggetto che era stato pestato da uno scarpone di uno degli aggressori, e si era creata una escoriazione a stampo della...

Pubblico Ministero: Quindi come era stato pestato questo signore?

Consulente: Questo signore, colpito da plurime coltellate, si era accasciato al suolo ed era stato colpito dall'alto in basso...

Pubblico Ministero: Vi è stato quindi un contrasto, se capisco bene, fra il suolo e lo scarpone che spingeva?

Consulente: Un'azione di schiacciamento.

Pubblico Ministero: Esattamente. Ma in carenza di una superficie rigida sulla quale esercitare l'azione di schiacciamento si determinerebbe ugualmente una escoriazione a stampo? Per intenderci, se io dessi un calcio in faccia a una persona la quale non avesse dietro di sé un muro o un pavimento tali da determinare l'azione di schiacciamento, questa persona andrebbe indietro, con un effetto di spinta. In tal caso si determinerebbe ugualmente quel tipo di disegno?

Consulente: Su una superficie rigida, come il capo, la fronte, il dorso di un polso, sì.

Pubblico Ministero: Allora ci può descrivere qualche caso in cui l'ha constatato?

Consulente: Questo è uno.

Pubblico Ministero: Non un caso in cui c'era una superficie di contrasto. Un caso in cui non c'era la superficie di contrasto e quindi non era impedito l'effetto di spinta. Non so se ho reso l'idea.

Consulente: Adesso non me ne vengono in mente.

Pubblico Ministero: Quindi non ha esempi specifici. Se capisco bene allora quello che lei dice su questo argomento è frutto di congetture?

Consulente: Sì, io ho parlato infatti di incompatibilità.

Pubblico Ministero: Senta, la distanza fra gli elementi della cassetta della frutta trovata sulla scena del delitto lei l'ha misurata?

Consulente: No.

Pubblico Ministero: Perché?

Consulente: Perché non ho la cassetta della frutta.

Pubblico Ministero: Benissimo, ma si è posto il problema di misurarla?

Consulente: No, non mi sono posto il problema perché non dò per certo che sia stata la cassetta che, fra l'altro, credo che fosse una cassetta per bottiglie d'acqua. Io ho dato solo un giudizio di compatibilità.

Pubblico Ministero: Va bene. Allora vuole cortesemente, esaminando le foto a sua disposizione, descriverci questa cassetta della frutta o dell'acqua e dirci quale parte di questa cassetta dovrebbe avere avuto l'impatto con il polso della ragazza, per produrre quel tipo di escoriazione?

Consulente: Descrivo una cassa di plastica verde, caratterizzata da un bordo superiore tipo un binario, con i margini sporgenti. Al di sotto di questo...

Pubblico Ministero: Bene, bene. Vuole adesso, per piacere, riprendere la fotografia del polso della ragazza, quella da cui si vedono i segni?

Consulente: Sì.

Pubblico Ministero: Può dirci, per piacere, quale parte della cassa dovrebbe aver prodotto quei quattro segni paralleli sul polso?

Consulente: La parte alta.

Pubblico Ministero: Le faccio notare che i segni sono quattro.

Consulente: Sì... ce ne sono quattro... potrebbero essere due colpi.

Pubblico Ministero: Per usare la sua espressione a proposito dell'ipotesi dei legacci, due colpi casualmente alla stessa distanza [dei margini del bordo a binario della cassa]?

Consulente: Casualmente...

Pubblico Ministero: Un tipo preciso quello che sferrava questi colpi di cassetta! Potremmo concordare su questo punto?

Consulente: Beh, il parallelismo...

Pubblico Ministero: Ad ogni modo volevo chiederle, lei può escludere che un solo colpo con la cassetta abbia prodotto quel tipo di lesioni?

Consulente: Sì.

Pubblico Ministero: Grazie, non ho altre domande.

Anche in questo caso ci troviamo di fronte a un controesame di impronta marcatamente distruttiva. L'impianto strategico è però in parte diverso da quello del caso precedente. Assistiamo infatti, in questo secondo verbale, a un attacco immediato, energico e frontale, senza preliminari tattici, alla personale attendibilità del consulente. La prima domanda (relativa alla definizione legislativa della morte clinica) mira evidentemente a incrinare l'immagine di superiore competenza professionale che il consulente ha cercato di comunicare alla corte, fornendo le sue credenziali e attaccando senza mezzi termini le conclusioni, gli argomenti e per conseguenza la figura del consulente del pubblico ministero. Si tratta di una domanda che (allo stesso modo di quelle sulla fisica dello sparo esaminate nel caso precedente), correttamente posta, non espone l'interrogante ad alcun rischio. Se infatti il consulente avesse fornito la risposta corretta, non avrebbe compromesso la successiva sequenza del pubblico ministero né avrebbe aggiunto alcunché di utile alla posizione della difesa che l'aveva addotto.

In questo come nell'altro caso però il consulente dimostra di non saper fornire una risposta che ci si sarebbe aspettati conoscesse. Appena il caso di evidenziare infatti che è del tutto lecito presumere la conoscenza della definizione legislativa di morte clinica da parte di un docente universitario di medicina legale. Sta di fatto, comunque, che il consulente non risponde, e il controesame ha inizio, per lui, nel peggiore dei modi. La sua immagine di competenza viene immediatamente incrinata dinanzi alla corte e la sua stessa personale sicurezza viene decisamente scossa.

Dopo questo prologo, il pubblico ministero passa al merito della causa, mantenendo inalterata la tensione creata con il primo affondo e sfruttando adeguatamente il relativo vantaggio. Il consulente ha scelto, in sede di esame diretto, un terreno di scontro frontale con l'impostazione accusatoria e, soprattutto, si è incautamente vincolato ad affermazioni categoriche e in buona misura infondate. Il tono aggressivo, ma non scorretto né offensivo, del pubblico ministero si giustifica in ragione dei fattori indicati.

La sequenza delle domande è lineare, senza sorprese o chiaroscuri tattici.

Si tratta di un controesame meno spettacolare di quello analizzato in precedenza, ma ugualmente efficace. Al termine della sequenza, infatti, la deposizione resa in sede di esame diretto dal consulente è stata sostanzialmente cancellata attraverso due passaggi strategici fondamentali e, del resto, trasparenti.

In una prima fase, infatti, sono stati messi in dubbio l'attendibilità personale, lo scrupolo professionale e la stessa correttezza deontologica del consulente. Si ricordi, per quest'ultimo punto, che il consulente si era lasciato andare, in sede di esame diretto, ad apprezzamenti pesanti sulla professionalità e la competenza del consulente del pubblico ministero, e cioè di un suo collega. Un simile contegno, in generale discutibile sotto il profilo dello stile, poteva comunque essere giustificato ove il consulente dell'accusa avesse davvero manifestato l'incompetenza alquanto grossolana che gli viene attribuita.

Il controesame dimostra però il contrario, evidenziando superficialità e infondatezza degli appunti critici mossi in sede di esame diretto e, come si diceva, lesionando seriamente l'immagine di alta competenza e di scrupolo che il consulente ha cercato di accreditare nel suo esame diretto. Il secondo e conclusivo snodo strategico consiste nella ritorsione del principale argomento critico adoperato nel corso dell'esame diretto. Si riportano, per la migliore fluidità del discorso critico sul punto, le battute finali del verbale.

Pubblico Ministero: Bene, bene. Vuole adesso, per piacere, riprendere la fotografia del polso della ragazza, quella da cui si vedono i segni?

Consulente: Sì.

Pubblico Ministero: Può dirci, per piacere, quale parte della cassa dovrebbe aver prodotto quei quattro segni paralleli sul polso?

Consulente: La parte alta.

Pubblico Ministero: Le faccio notare che i segni sono quattro.

Consulente: Sì... ce ne sono quattro... potrebbero essere due colpi.

Pubblico Ministero: Per usare la sua espressione a proposito dell'ipotesi dei legacci: due colpi casualmente alla stessa distanza [dei margini del bordo a binario della cassa]?

Consulente: Casualmente...

Pubblico Ministero: Un tipo preciso quello che sferrava questi colpi di cassetta! Potremmo concordare su questo punto?

Consulente: Beh, il parallelismo...

Pubblico Ministero: Ad ogni modo volevo chiederle, lei può escludere che un solo colpo con la cassetta abbia prodotto quel tipo di lesioni?

Consulente: Sì.

Pubblico Ministero: Grazie, non ho altre domande.

Il consulente della difesa aveva sostenuto l'inattendibilità dell'attribuzione di certe escoriazioni a procedure di contenzione, prendendo spunto fra l'altro, per la sua argomentazione, dal parallelismo e dalla asserita equidistanza di tali escoriazioni. Esattamente lo stesso argomento viene adoperato, nella sequenza finale del controinterrogatorio, contro l'ipotesi esplicativa del traumatismo (attribuito, in contrasto con le conclusioni del consulente dell'accusa, a percosse con un corpo rigido). La forza distruttiva di tale argomento deriva da una combinazione di fattori: la sua collocazione al termine di una sequenza demolitrice e la sua utilizzazione contro il soggetto che, in termini incautamente categorici, lo aveva introdotto nel processo.

Il senso delle riflessioni contenute in questo capitolo può essere sintetizzato con un aneddoto proveniente dal tribunale inglese.

In un caso di omicidio, nel quale la difesa invocava l'incapacità di intendere e di volere, un consulente medico spiegò che l'imputato aveva agito per effetto di un impulso irresistibile. Al termine della sua deposizione il giudice volle chiedergli qualche chiarimento.

Giudice: Lei pensa che l'imputato avrebbe agito così come ha fatto se fosse stato presente un poliziotto?

Consulente: No.

Giudice: Allora la sua definizione di impulso irresistibile deve essere questa: impulso cui non si può resistere fuorché nei casi in cui è presente un poliziotto.[8]

5
Investigatori

Gli appartenenti alla polizia giudiziaria costituiscono una categoria per molti aspetti eterogenea e comprensiva di soggetti fra loro diversissimi per qualificazione professionale ed estrazione culturale. Tale categoria presenta però un significativo comune denominatore, del quale occorre tenere conto tanto nella elaborazione della strategia di controesame, quanto nella definizione del modo più utile di procedere all'esame diretto. Ufficiali e agenti di polizia giudiziaria documentano abitualmente per iscritto la loro attività investigativa, ed è di regola su tali riferimenti scritti che basano i loro ricordi e, per conseguenza, le loro deposizioni. Ciò costituisce naturalmente una necessità dovuta alla frequenza con cui gli operatori di polizia giudiziaria sono chiamati a rendere le loro testimonianze e all'impossibilità di ricordare, senza l'ausilio di una documentazione scritta, tutti i momenti e le circostanze della attività investigativa.

La possibilità di recarsi a deporre consultando preventivamente (o, se del caso, anche nel corso dell'esame) la documentazione dell'attività di indagine, rappresenta certamente un vantaggio per questa categoria di testimoni e, di regola, un fattore di difficoltà del relativo controesame. D'altra parte, però, questa circostanza, nonché l'eccesso di sicurezza che spesso caratterizza il contegno degli ufficiali di polizia giudiziaria più esperti e abituati alla deposizione dibattimentale, può riservare sorprese sgradevoli all'investigatore e aprire varchi inattesi per il difensore accorto e consapevole di questi meccanismi.

Cercheremo di sviluppare questi concetti a margine di un verbale tratto da un processo per rapina aggravata.

All'identificazione di uno degli autori della rapina si giunse attraverso una individuazione fotografica. Quello che segue è il controesame (condotto dal difensore dell'imputato) dell'ufficiale di polizia giudiziaria che effettuò le indagini e in particolare raccolse le dichiarazioni della persona offesa, curando altresì l'individuazione fotografica.

Avvocato: Lei ha riferito di lavorare nella squadra mobile, vero?

Teste: Confermo.

Avvocato: Lei ha ricevuto la denuncia della rapina?

Teste: No, la denuncia è stata fatta all'ufficio denunce; noi siamo stati interessati dopo.

Avvocato: Come funziona quando qualcuno viene a fare una denuncia?

Teste: Normale, si presenta all'ufficio denunce... e fa la denuncia.

Avvocato: E poi lo richiamate voi della squadra mobile?

Teste: Beh, non sempre, dipende se ci sono ragioni...

Avvocato: Può spiegare meglio? Cosa vuol dire «se ci sono ragioni»?

Teste: Se risultano elementi... se ci sono indizi...

Avvocato: Mi faccia capire: l'ufficio denunce riceve appunto tutte le denunce; poi, se c'è qualche motivo per approfondire subito le indagini, intervenite voi della squadra mobile, ho capito bene?

Teste: Confermo.

Avvocato: In questo caso voi avete richiamato la persona offesa circa tre ore dopo la denuncia, l'avete sentita a verbale di nuovo e poi avete fatto l'individuazione fotografica. Può dirci per quale motivo?

Teste: Fonte confidenziale degna di fede aveva riferito che fra gli autori della rapina poteva esserci...

Presidente: Lei non può riferire del contenuto di dichiarazioni ricevute da confidenti a meno che non intenda indicare le generalità di questa persona.

Avvocato: Presidente, io non ho obiezioni a che il teste continui, anche senza indicare le generalità del confidente.

Presidente: Avvocato, qui non è questione di obiettare o no. C'è una regola processuale che vieta di assumere le dichiarazioni *de relato* quando non viene indicata la fonte. [rivolgendosi al teste] Lei vuole indicare le generalità del suo confidente?

Teste: No, signor presidente, io mi avvalgo...

Presidente: Allora non si può riferire del contenuto della confidenza. Proceda pure, avvocato.

Avvocato: Credo comunque di poter chiedere se è esatto che l'intervento della squadra mobile dipese dal fatto che vi era stata una segnalazione confidenziale, sul cui specifico contenuto non ci soffermiamo.

Teste: Confermo.

Avvocato: Cosa faceste dopo aver ricevuto questa segnalazione?

Teste: Richiamammo la vittima della rapina e la sentimmo a verbale; poi facemmo la ricognizione fotografica.

Avvocato: Senta, il verbale su questo punto è un po' sintetico. Può spiegarci come si svolse in concreto questa individuazione fotografica?

Teste: Facemmo vedere al teste gli album fotografici, lui li sfogliò e a un certo punto riconobbe... insomma l'imputato.

Avvocato: Quanto durò questo verbale e in particolare l'esame dei vostri album fotografici?

Teste: Avvocato, adesso mi chiede una cosa... non so, mezz'ora, un'ora. Il tempo di vedere gli album e di scrivere il verbale.

Avvocato: Mi spiega questa cosa... cioè prima gli faceste vedere gli album, lui fece la ricognizione, poi metteste tutto a verbale, è così?

Teste: Confermo.

Avvocato: Perché io possa capire bene: l'orario indicato all'inizio del verbale è quello in cui cominciaste a scrivere o quello in cui cominciaste a sentire la persona?

Teste: Ma... l'orario in cui cominciammo a sentirlo, che poi non è che passò tutto questo tempo...

Avvocato: Mezz'ora, un'ora, ha detto.

Teste: Sì, a occhio e croce.

Avvocato: Io leggo qui sull'intestazione del verbale «davanti a noi ufficiali e agenti etc., etc. alle ore 19.45 è comparso etc.». Ora questa indicazione delle ore 19.45 si riferisce a quando cominciaste a sentire la persona offesa anche se poi avete materialmente verbalizzato mezz'ora, un'ora dopo, è corretto?

Teste: Sissignore.

Avvocato: Su queste basi è corretto dire che il verbale è stato materialmente chiuso, correzioni, rilettura e tutto, diciamo fra le 20.30 e le 21.00?

Teste: A occhio e croce...

Avvocato: E infatti poi alle 22.15 avete effettuato il fermo del mio cliente, è esatto?

Teste: Non ho gli atti con me.

Avvocato: Ecco, vede – presidente, vuole autorizzare il teste a consultare atti a sua firma – vede il verbale di fermo?

Teste: [dopo aver consultato il verbale] Sì, le 22.15.

Avvocato: Dove lo avete trovato il mio cliente?

Teste: Mi sembra che è venuto lui in questura, aveva l'obbligo di firma.

Avvocato: Ha ragione. Sa dirmi a che ora aveva l'obbligo di firma?

Teste: No... poi non mi occupo io di queste cose, sarà stato più o meno a quell'ora.

Avvocato: Quale ora?

Teste: Quella che poi lo abbiamo fermato.

Avvocato: Vuol dire che aveva l'obbligo di firma alle 22.15?

Teste: No, sarà venuto prima, poi abbiamo fatto gli atti.

Avvocato: Quanto prima?

Teste: Non lo so avvocato, io stavo facendo il verbale con il rapinato e dissi ai colleghi di trattenerlo.

Avvocato: Ah, quindi il mio cliente è arrivato in questura quando ancora lei stava verbalizzando la vittima? Le risulta comunque che sia arrivato puntuale per la firma?

Teste: Sì, credo di sì.

Avvocato: Senta, mi faccia capire una cosa. Lei ha detto che disse ai suoi colleghi di trattenere il mio cliente. Desumo da questo che quando lui arrivò in questura, anzi, almeno da qualche minuto prima, l'individuazione fotografica era stata fatta; voglio dire che la persona offesa, il signor X... aveva già fatto l'individuazione del mio cliente, in fotografia, esatto?

Teste: Confermo.

Avvocato: Vorrei farle presente, ispettore, che il mio cliente aveva l'obbligo di presentarsi in questura per la firma alle ore 20.00 di tutti i giorni, le risulta?

Teste: Sì, credo di sì... sì.

Avvocato: E lei ci ha detto che il mio cliente arrivò puntuale, esatto?

Teste: Esatto.

Avvocato: Vorrei che lei ci chiarisse una cosa. Se il mio cliente arrivò in questura alle 20.00 e lei già aveva dato disposizione di trattenerlo, devo desumere che l'individuazione fosse stata fatta almeno alle 19.55, esatto?

Teste: Non è che stavo a contare i minuti...

Avvocato: Certo. Però contiamoli adesso i minuti.

Teste: Quando il suo cliente arrivò in questura già era stato riconosciuto, ora i minuti, le ore precise...

Avvocato: Va bene, va bene. Alle 20.00, anzi qualche minuto prima era già stato riconosciuto. La vittima però voi cominciaste a interrogarla alle 19.45, come abbiamo detto prima.

Teste: L'ora che abbiamo detto prima.

Avvocato: Appunto, le 19.45, come risulta dal verbale. Allora fra le 19.45 e qualche minuto prima delle 20.00 la ricognizione fotografica era stata già completata con successo?

Teste: Avvocato, adesso come faccio a dire... lui guardò gli album, fece la ricognizione...

Avvocato: Certo, questo è pacifico. Senta, quanti album gli furono mostrati?

Teste: Non lo so. Si prende un album, si fa vedere, poi si passa a un altro e così via.

Avvocato: È giusto. Si mostrano gli album in successione. Così faceste in questo caso?

Teste: Così facciamo sempre.

Avvocato: Quindi anche in questo caso?

Teste: Sì.

Avvocato: Quanti album furono fatti vedere in questo caso?

Teste: Due, tre...

Avvocato: E questo signore, in dieci minuti o poco

più, riuscì a visionare due, tre album? Quante foto ci sono in un album?

Teste: Ce ne possono essere cento, duecento...

Avvocato: Qui nel verbale c'è scritto che il signor X..., il rapinato, «riconosceva senza ombra di dubbio la persona effigiata nella foto n. 276» eccetera eccetera. In questo album c'erano almeno 276 foto e probabilmente di più.

Teste: E con questo cosa vuole dimostrare, scusi, avvocato?

Avvocato: Quindi, riepilogando. Lei ci sta dicendo che in circa dieci minuti il teste ha esaminato due, tre album fotografici, uno dei quali contenente, diciamo, almeno duecentosettantasei foto, ha riconosciuto il mio cliente come l'autore della rapina in suo danno, lei poi ha subito fatto mente locale e si è detto: «ah, ma quello adesso viene a firmare, meglio farlo trattenere» e così ha fatto?

Teste: Senta, ci sarà stato qualche errore sugli orari dei verbali, ma i fatti sono andati così.

Avvocato: Non lo metto in dubbio. Il suo confidente le aveva detto che era stato il mio cliente a fare la rapina?

Pubblico Ministero: Opposizione presidente, opposizione.

Presidente: Accolta, vada avanti, avvocato.

Avvocato: Io avrei finito, presidente, poi sentiremo la persona offesa.

Cerchiamo di comprendere cosa è accaduto in questo controesame nel quale un ufficiale di polizia giudiziaria che aveva, con ogni probabilità, operato in modo corretto dal punto di vista investigativo, ma con qualche leggerezza quanto al modo di compilazione dei suoi atti di indagine, finisce per trovarsi in una situazione alquanto imbarazzante.

Considerato dal punto di vista della difesa, questo esame costituisce sicuramente un successo. L'avvocato, senza servirsi di mezzi scorretti, è riuscito infatti a insinuare il dubbio che l'individuazione fotografica sia stata in qualche modo pilotata dall'ufficiale di polizia giudiziaria. Questi, adombra l'impostazione difensiva, preventivamente convinto della responsabilità del sospettato in base a informazioni confidenziali ricevute poco dopo il fatto, avrebbe manipolato o comunque influenzato la vittima della rapina, inducendo l'individuazione piuttosto che limitarsi a registrarla.

Il passaggio strategico fondamentale coincide con le domande relative alla durata delle operazioni di individuazione fotografica e di stesura del relativo verbale. Il teste, che evidentemente non ricorda i tempi precisi e i dettagli della verbalizzazione, viene abilmente indotto a riferire che l'orario delle 19.45, indicato nell'intestazione del verbale, è quello dell'effettivo inizio delle operazioni di individuazione fotografica. Chiunque conosca le modalità pratiche di compimento di tali attività investigative può legittimamente dubitare che ciò fosse vero. È, al contrario, altamente probabile che l'orario suddetto fosse quello della verbalizzazione materiale di operazioni già compiute ed esaurite.

Fissato però l'orario delle 19.45 come quello di (asserito) effettivo inizio della osservazione degli album fotografici, il difensore ha buon gioco nel far rilevare la scarsa compatibilità dei tempi e l'incoerenza cronologica della narrazione: in definitiva, nel generare il dubbio sulla correttezza dell'ispettore di polizia.

In questo controesame, il difensore dimostra una buona conoscenza del funzionamento degli uffici di polizia giudiziaria nonché della psicologia dell'ufficiale di polizia seduto al banco dei testimoni. Questa categoria, come si diceva, tende fisiologicamente ad affidare il proprio ricordo dei fatti al supporto cartaceo della documentazione investigativa. I verbali, le relazioni di servizio, le informative sono di regola utili supporti mnemonici, e consentono deposizioni coerenti e attendibili a soggetti che, per ragioni professionali, sono frequentemente chiamati a svolgere l'ufficio di testimone.

L'eccesso di fiducia nell'atto scritto implica però dei rischi. Rileggere il resoconto di una attività investigativa genera infatti, a volte, una sorta di corto circuito della memoria. Al ricordo, magari sbiadito ma coerente di una sequenza di eventi, può sovrapporsi la lettura di un atto non sempre redatto con attenzione, precisione e coerenza narrativa. Il timore di avventurarsi nei meandri di ricordi fisiologicamente confusi e la fiducia nello scritto, necessaria a chi debba deporre con frequenza su circostanze molteplici ed eterogenee, rischia di produrre un adeguamento della memoria, o perlomeno della narrazione dibattimentale, alla rappresentazione burocratica e spesso imprecisa della documentazione degli atti di indagine.

La capacità di incunearsi con il controesame in questo meccanismo consente, come nel caso oggetto di queste riflessioni, risultati significativi anche se raramente, di per sé soli, decisivi.

Di questa eventualità, che dal punto di vista dell'accusa e dell'operatore di polizia sottoposto a esame costituisce comunque un serio rischio, occorrerebbe tenere conto al momento della documentazione dell'attività di indagine.

In prospettiva più ampia parrebbe poi opportuno che nei percorsi formativi degli operatori di polizia giudiziaria fossero inseriti momenti di riflessione sulla testimonianza dibattimentale e sul modo di affrontarla. Per giungere a risultati di giustizia, ribadendo con decisione l'inammissibilità di ogni scorciatoia, occorrerebbe fornire insegnamenti sui modi e i contegni per fronteggiare le astuzie dei controesami e per evitare di disperdere gli esiti dell'opera investigativa.

6
Errori fatali

Lo studio dei fallimenti e in generale degli errori costituisce un importante fattore di progresso delle conoscenze e un importante sussidio didattico.

Il controesame scelto per questa riflessione è tratto da un processo per omicidio volontario: gli imputati sono tre soggetti appartenenti a una associazione mafiosa.

Uno degli elementi di accusa è costituito dalla deposizione di un ispettore di polizia relativa all'avvistamento dei tre imputati, insieme, pochi minuti prima dell'omicidio.

In questo caso per la migliore interpretazione e comprensione del controesame è opportuno riportare testualmente l'esame diretto.

Pubblico Ministero: In quale ufficio lei presta servizio?

Teste: Squadra mobile. Sezione omicidi.

Pubblico Ministero: Conosce i tre imputati?

Teste: Tutti e tre molto bene.

Pubblico Ministero: Li conosce per ragioni del suo ufficio?

Teste: Sì. Li ho controllati in più occasioni; ho fatto molte perquisizioni...

Pubblico Ministero: Quando è stata l'ultima volta che li ha visti in stato di libertà?

Teste: Il 5 marzo 1994. Il giorno dell'omicidio X...

Pubblico Ministero: Può indicare con precisione in che circostanze?

Teste: Sì. Ero su viale Mazzini, camminavo, e vidi arrivare da via Pascoli i tre. Tizio e Sempronio percorrevano il marciapiede... diciamo il marciapiede di destra per chi guarda da viale Mazzini. Caio percorreva il marciapiede di sinistra, erano alla stessa altezza, paralleli e camminavano piuttosto veloci.

Pubblico Ministero: Che ora era?

Teste: Le 19.54.

Pubblico Ministero: Ha redatto relazione di servizio di questo avvistamento?

Teste: Sì, ho scritto tutto.

Pubblico Ministero: Non ho altre domande, grazie.

Al brevissimo esame diretto segue dunque il controesame, la cui lettura, come si vedrà, è molto istruttiva.

Avvocato: Allora, ispettore, lei ha scritto nella sua relazione di servizio di – leggo testualmente – «avere notato, alle ore 19.54 odierne, i tre noti pluripregiudicati Tizio, Caio e Sempronio percorrere a passo sostenuto la via Pascoli, in prossimità e direzione dell'incrocio con viale Mazzini. In particolare Tizio e Sempronio percorrevano il marciapiede di destra mentre Caio per-

correva, alla stessa altezza, il marciapiede di sinistra».
Noto che lei è stato assai preciso.

Teste: Sì.

Avvocato: Come ha fatto a scrivere di avere notato
i tre precisamente alle ore 19.54?

Teste: Ho guardato l'orologio.

Avvocato: Vedo che lei fa dello spirito...

Pubblico Ministero: Presidente, potremmo invitare
l'avvocato a non innescare polemiche con il teste? L'i-
spettore ha risposto, del tutto a tono, a una domanda
del difensore.

Presidente: Va bene, avvocato, evitiamo le polemiche
superflue e procediamo.

Avvocato: D'accordo, cercherò di essere più chiaro.
Stando al contenuto della sua relazione, lei ha visto i
tre imputati circa dieci minuti prima dell'omicidio. È
esatto?

Teste: Confermo.

Avvocato: Lei si trovava a percorrere la via Pascoli
essendo, leggo testualmente, «libero dal servizio». È
esatto?

Teste: Confermo.

Avvocato: Come mai la sua attenzione fu attratta da
questi signori?

Teste: Sono tutti e tre soggetti noti e tutti hanno precedenti piuttosto seri. Per questo li ho notati.

Avvocato: E come mai ha ritenuto di fare caso al-
l'orario?

Teste: È il mio modo normale di comportarmi in
queste situazioni.

Avvocato: Scusi, la relazione di servizio quando l'ha redatta?

Teste: Quella notte. Ebbi una telefonata a casa – non ricordo chi fosse il collega – perché c'era stato l'omicidio e ricollegai le due cose. Perciò scrissi subito la relazione di servizio.

Avvocato: Altrimenti non l'avrebbe scritta?

Teste: Altrimenti non l'avrei scritta quella notte. L'avrei scritta il giorno dopo rientrando in servizio.

Avvocato: Quando lei scrisse la relazione conosceva l'orario preciso dell'omicidio?

Teste: La chiamata al 113 era arrivata alle 20.09. Questo era il dato preciso in nostro possesso. L'omicidio deve essere stato commesso due o tre minuti prima.

Avvocato: A che ora lei fu richiamato in ufficio?

Teste: Verso le 21.30, credo. Arrivai in ufficio attorno alle 22.00.

Avvocato: A che ora scrisse la relazione?

Teste: Poco dopo. Non posso dire l'orario preciso. Esaminando il computer su cui ho scritto la relazione è possibile rilevare l'orario preciso, se la cosa le interessa.

Avvocato: Quello che mi interessa in particolare è capire come lei potesse indicare con tanta precisione l'orario delle 19.54, che, guarda caso, quadra perfettamente con l'ipotesi accusatoria. Lei non ha scritto frasi del tipo «attorno alle 20.00» oppure «poco prima delle 20.00». Con estrema precisione lei ha scritto «19.54». Come è possibile che, pur a distanza di qualche ora, lei ricordasse questo orario al minuto?

Teste: Lo avevo scritto.

Avvocato: Cosa vuol dire?

Teste: Vede, avvocato, io giro sempre con una agendina. Quando noto qualcosa di interessante prendo un appunto su questa agendina. Segno sempre l'orario in questi miei appunti.

Avvocato: Quindi lei adesso ha sicuramente con sé questa agendina.

Teste: Sì.

Avvocato: Siccome i fatti sono di quest'anno, nella sua agendina deve esserci traccia di questo appunto.

Teste: Certo.

Avvocato: Vuole mostrare questa agendina?

Teste: Certo.

Il Presidente dà atto che il teste mostra una agendina da tasca. Si dà atto che viene visionata la pagina relativa al giorno 5 marzo dell'anno in corso. Tale pagina reca il seguente appunto: «Via Pascoli verso viale Mazzini, Tizio Caio e Sempronio insieme, ore 19.54».

L'esito del controesame è, evidentemente, catastrofico per la parte che lo ha condotto.

In questa occasione meglio che attraverso lo studio di un controesame riuscito, è possibile mettere in luce la necessità di attenersi ad alcune regole basilari, nel caso di specie violate. Già l'esordio dell'esaminatore è infelice sotto il profilo dell'approccio psicologico con il teste. È infatti palese che l'avvocato mira a manifestare una immediata, vistosa diffidenza nei confronti della stessa sincerità del teste, il che, anche nella prospettiva di un controesame aggressivamente distruttivo (opzione certo praticabile, ma solo dopo una attenta ponderazione e preparazione, dato l'alto tasso di rischiosità che essa presenta), costituisce quasi sempre un grave errore tattico.

Contravvenendo a queste regole tattiche il difensore lascia invece apparire sin dalla prima battuta il senso della sua strategia: il teste, ufficiale di polizia giudiziaria, ha adattato il contenuto della sua relazione prima, e della sua deposizione poi, alle esigenze dell'accusa a carico dei tre imputati.

Verosimilmente, il difensore non dubita che l'avvistamento dei tre si sia effettivamente verificato. Ritiene però che sia stata operata una manipolazione dell'orario dell'avvistamento per renderlo compatibile con la presenza dei tre sul luogo del delitto, all'ora del delitto stesso. Il controesame mira dunque a generare dubbi sull'orario dell'avvistamento: e fin qui, naturalmente, nulla da dire. Come vedremo, anzi, era questa l'unica ipotesi praticabile con qualche prospettiva di seppur parziale successo.

Ciò che più conta, però, è che il difensore non possiede dati certi per ritenere che effettivamente sia stata attuata una manipolazione. A ben vedere, in realtà, il difensore non dispone di alcun elemento concreto per sostenere l'esistenza di una manipolazione o, comunque, di una imprecisa indicazione dell'orario di avvistamento. È legittimo che, nell'esercizio di un dovere professionale, egli nutra una sorta di dubbio metodico sulla attendibilità della deposizione del poliziotto, in presenza fra l'altro di un dato indubbiamente peculiare quale l'indicazione, in termini di inusitata precisione, dell'orario dell'avvistamento.

Proprio perché, però, si trattava di un semplice sospetto non sostenuto, a quanto consta dalla lettura del verbale, da alcun dato di fatto, l'avvocato avrebbe dovuto esplorare l'ipotesi con estrema circospezione e badando in primo luogo a non aggravare, come di fatto invece è accaduto, la posizione del suo assistito.

Sulla base di queste riflessioni appare chiaro come sia stato sconsiderato l'esordio e, in generale, tutta la conduzione del controesame, alla fine del quale il difensore, lanciatosi a testa bassa contro il teste, subisce prima la fredda ironia di quest'ultimo e infine una clamorosa disfatta. Questa, in particolare, dipende dalla violazione della regola che suggerisce di non rivolgere domande cruciali senza disporre di elementi che consentano in qualche modo di prevedere le risposte e, comunque, di evitare sorprese sgradite ed esiti controproducenti.

Il trattamento aggressivo di un teste sfavorevole[1] va praticato solo dopo avere costruito, con un preliminare lavoro tattico, una adeguata posizione di forza. L'attacco immediato, la diretta manifestazione di un atteggiamento aggressivo, sono scelte solitamente controproducenti; esse sono praticabili utilmente solo nei casi non frequenti in cui si possiedano dati inoppugnabili con cui dimostrare il mendacio o comunque la non veridicità di quanto riferito dal teste.

Per arricchire la riflessione sul caso in discorso è utile adesso porre a confronto il controesame realmente verificatosi e del quale si è dato conto con una simulazione elaborata nel rispetto di alcune regole e principi basilari.

In sostanza si proporrà una alternativa al controesame analizzato, cercando di segnalare un possibile percorso operativo con il quale sarebbe stato possibile quantomeno evitare l'esito catastrofico che abbiamo visto.

Prima di effettuare questa sorta di esercitazione occorre chiarire però un punto. Nel caso in questione, come viene dimostrato proprio dalla fase finale del controesame, il teste ha detto la verità; già comunque nell'esame diretto egli è apparso un teste attendibile grazie a una narrazione, peraltro assai sintetica, priva di evidenti punti deboli. Di fronte a un tale teste e a una simile narrazione, il difensore doveva interrogarsi con estremo scrupolo e consapevolezza sull'opportunità di procedere o meno al controesame. Secondo la regola che più volte abbiamo ricordato, il difensore doveva chiedersi (dato per scontato che la deposizione dell'ispettore aveva apportato un significativo contributo all'impianto accusatorio) se il controesame avesse una prospettiva di utile risultato. In termini concreti: doveva chiedersi se fosse opportuno procedere al controesame e, in questo caso, con quale obiettivo, o se piuttosto non fosse meglio astenersene del tutto.

In questo caso la decisione di procedere al controesame era difficile ma verosimilmente obbligata. L'apporto della deposizione del poliziotto all'impianto dell'accusa appare infatti decisivo o comunque assai importante. Un tentativo di controesame si imponeva: esso andava attuato però con ogni cautela, evitando in ogni modo il rischio di aggravare una situazione già compromessa dall'esito dell'esame diretto.

Era insomma una di quelle situazioni, certamente non facili per il controesaminatore, in cui occorre procedere gradatamente, «tastando prudentemente il terreno, correndo i dovuti rischi solo se perfettamente calcolati e tenuti per quanto possibile sotto controllo»,[2] evitando soprattutto – come si diceva – domande al buio su aspetti cruciali.

Vediamo dunque come questa impostazione potesse essere realizzata e verifichiamo in primo luogo che tipo di risultato ci si potesse realisticamente proporre procedendo al controesame di quel testimone.

Ricordiamo in proposito la tipizzazione, in precedenza operata, dei modi di interagire con il teste sfavorevole e degli obiettivi perseguibili con le diverse modalità di controesame.

Abbiamo indicato un primo modello di interazione con il teste sfavorevole caratterizzato da un fine di limitazione degli effetti negativi dell'esame diretto; un secondo modello caratterizzato da un fine di demolizione della testimonianza diretta attraverso l'attacco alla attendibilità del teste; un terzo modello caratterizzato da un fine di elisione degli esiti dell'esame diretto attraverso l'attacco diretto alla coerenza interna, alla verosimiglianza e insomma alla intrinseca attendibilità della narrazione testimoniale.

Nel caso che stiamo esaminando non sembra fossero utilmente praticabili le metodologie demolitorie del secondo e del terzo tipo, a fronte della qualità soggettiva del testimone, della estrema stringatezza strutturale del suo racconto e della mancanza di concreti elementi (che, ove esistenti, sarebbero stati verosimilmente palesati nel corso del controesame) dai quali far risultare la falsità del racconto o la personale inattendibilità dell'ufficiale di polizia giudiziaria esaminato.

Il tentativo della difesa doveva quindi necessariamente orientarsi nel senso di limitare i danni dell'esame diretto, per ridurre il più possibile l'impatto probatorio di quella deposizione.

Non era un compito facile. Il controesaminatore poteva solo tentare di indurre in dubbio i giudici sull'orario dell'avvistamento; questo per incrinare la compatibilità della deposizione con l'ipotesi della presenza degli imputati sul luogo del delitto al momento dello stesso. Per la verità occorre riconoscere che proprio questo era l'obiettivo del poco abile difensore: ma, come si è ampiamente evidenziato, il metodo scelto per perseguire tale obiettivo è stato di sicuro inadeguato.

Al teste di questo caso occorreva accostarsi con estrema circospezione, senza manifestare alcuno spunto aggressivo, praticando un approccio neutro[3] ed evitando, soprattutto nelle fasi iniziali del controesame, ogni occasione di contrasto.

Il teste non doveva essere messo in condizione di sfuggire in alcun momento al controllo dell'esaminatore. In questa prospettiva sarebbe stata necessaria al difensore una grande dimestichezza con quel tipico strumento della tradizione anglosassone del controesame costituito dalle cosiddette *leading questions* (letteralmente: domande guidanti).

Taluni identificano le *leading questions* con le domande suggestive. In realtà il tratto comune a queste due categorie di domande può essere ravvisato nella loro non neutralità strutturale rispetto alla risposta attesa. Sotto altri profili, però, le due categorie presentano differenze sostanziali. Se infatti le domande suggestive in senso stretto mirano a influenzare la risposta secondo un meccanismo che potremmo definire di suggestione evocativa, le domande guidanti, più che vere e proprie domande, sono «dichiarazioni di fatto seguite da un punto interrogativo».[4]

Ne deriva una considerazione ovvia. Le *leading questions* consentono un grado di controllo sulle risposte del teste che le suggestive in senso stretto non possono mai assicurare. La domanda guidante correttamente posta consente al teste la sola alternativa fra il sì e il no. La domanda suggestiva in senso stretto opera sulla memoria dei fatti, ne influenza la rappresentazione, incide – spesso anche sotto il profilo lessicale – sul tono e sul contenuto della risposta ma non chiude il teste entro i limitati confini della alternativa cui si è fatto cenno.

La distinzione potrà essere colta con qualche esempio e in primo luogo mostrando una semplice sequenza di domande guidanti.

Si ipotizzi un caso giudiziario relativo a un tentato omicidio commesso con armi da fuoco in danno degli occupanti di una autovettura. In sede di esame diretto il conducente dell'autovettura (a sua volta armato) ha dichiarato di avere riconosciuto uno degli attentatori avendolo visto nel momento in cui si dava alla fuga. La difesa mira a contestare l'attendibilità del riconoscimento in relazione alle circostanze in cui esso si sarebbe verificato. Ecco una possibile serie di *leading questions* finalizzata al conseguimento di tale obiettivo.

– *Al momento degli spari lei era in macchina?*

– *La macchina era ancora in movimento?*

– *Lei era alla guida della macchina?*

– *Gli spari hanno raggiunto la macchina sul fianco posteriore destro?*

– *Gli aggressori si sono dati alla fuga dopo gli spari?*

– *Lei è sceso dalla macchina quando gli aggressori avevano cessato di sparare?*

– *Lei non ha esploso nemmeno un colpo con la sua pistola?*

– *È esatto dire che lei in nessun momento si è trovato di fronte agli sparatori?*

È evidente che porre domande di questo tipo presuppone che il controesaminatore possieda una base di informazione che gli consenta di prevedere, con relativa certezza, il contenuto della risposta e, nel caso di risposta difforme da quella attesa e desiderata, di confutarne il contenuto.

Ogniqualvolta ricorrano tali presupposti dovrà essere utilizzato lo strumento delle *leading questions*. In caso contrario dovranno essere evitate, potendo esse trasformarsi, in caso di uso improprio, in veri e propri boomerang.[5]

In situazioni di controesame nelle quali, per carenza dei necessari presupposti, non appaiano praticabili le *leading questions*, potrà essere opportuno l'uso di quelle che abbiamo definito domande suggestive. Eccone qualche esempio.

– *Può riferire che manovra stava facendo con la sua autovettura quando ha sentito gli spari?*

La domanda implica, e quindi suggerisce, che al momento degli spari il teste fosse alla guida della macchina.

– *In che momento lei è sceso dalla macchina?*

La domanda implica, e quindi suggerisce, che in un certo momento dell'azione il teste sia sceso dalla macchina.

– *Quando lei è sceso dalla macchina con la sua pistola in pugno, dove erano esattamente gli aggressori?*

La domanda implica, e quindi suggerisce, che il teste sia sceso dalla macchina già impugnando la sua pistola.

– *Può spiegare per quale motivo lei non ha esploso nemmeno un colpo con la sua pistola?*

La domanda mira a evocare il ricordo del teste su una circostanza essenziale: egli non sparò perché gli aggressori erano in fuga, già a distanza e volgendogli le spalle.

– *Esattamente in corrispondenza di quale punto della macchina lei si trovava quando ha visto gli aggressori scappare?*

La domanda implica, e quindi suggerisce, che il teste fosse ancora vicinissimo alla macchina quando gli attentatori già scappavano.

– *È esatto dire che in nessun momento lei si è trovato di fronte agli sparatori?*

La domanda conclusiva è identica a quella della sequenza precedente; ad essa si giunge però con un itinerario strategicamente diverso.

Inutile dire che, ogniqualvolta le circostanze consentano di formulare *domande guidanti*, esse dovranno essere preferite a semplici domande suggestive; ciò, come si diceva, per il più alto grado di controllo sul teste – e in generale sul controesame – che le prime consentono rispetto alle seconde.

Occorre al proposito sottolineare, cosa che del resto emerge dagli esempi in precedenza formulati, che le *leading questions* devono essere caratterizzate da struttura sintattica elementare e, in particolare, da un uso parsimonioso della subordinazione. La elementarietà della struttura sintattica dovrà costituire la diretta conseguenza stilistica della semplificazione narrativa. Ogni domanda guidante dovrà contenere un solo fatto o un solo concetto. È necessario evitare infatti la trasformazione della *leading question* in una narrazione articolata di una sequenza di fatti, seguita da una locuzione interrogativa.

Si pensi per esempio a una domanda così strutturata: – *E quindi lei, essendo spaventato dalle grida della vittima che sanguinava vistosamente, non riuscì a fissare le fattezze degli autori della rapina che fra l'altro indossavano parrucche e si trattennero nella gioielleria non più di un minuto, non è vero?*

Si tratta del racconto di una intera vicenda processuale contenuto in una sola domanda. Domande di questo genere «confondono il testimone, la giuria e infine voi stessi».[6] È evidente inoltre che eventuali risposte affermative (o anche negative) a simili domande sono prive di qualsiasi senso narrativo e non forniscono al processo alcun apporto conoscitivo utile a fondare una decisione.

In sostanza, dunque, ogni volta che con domande guidanti si intenda fare riferire a un teste un fatto complesso, occorrerà scomporre il fatto in tanti segmenti interrogativi, ciascuno corrispondente a una frazione elementare dello stesso.

Solo in questo modo potrà avere senso narrativo e funzione conoscitiva una sequenza di risposte circoscritte al sì o al no.

Da questa riflessione è stato finora escluso ogni riferimento alla categoria delle domande nocive. Le cosiddette domande nocive alla sincerità della risposta si prestano a considerazioni e classificazioni del tutto diverse da quelle cui ci stiamo dedicando. Esse hanno spesso struttura di domande suggestive o di vere e proprie domande guidanti. La differenza che sussiste tra le domande suggestive (ammissibili in sede di controesame) e quelle nocive (sempre inammissibili) non attiene infatti alla struttura quanto piuttosto al tipo di implicazione che caratterizza l'una e l'altra categoria, nella diversa prospettiva di ottenere risposte o di realizzare manipolazioni del teste.

La stessa domanda può essere semplicemente suggestiva (intendendosi qui l'espressione in senso lato) o nociva alla sincerità della risposta in relazione alla veridicità delle circostanze in essa presupposte.

La domanda: «La vittima si accasciò dopo il terzo colpo di pistola?» è semplicemente suggestiva se è vero (non necessariamente se è già stato riferito) che c'è stata una esplosione di colpi di pistola la quale ha cagionato una vittima. Può al contrario trattarsi di domanda nociva alla sincerità della risposta se, per esempio, l'arma utilizzata per il delitto fu un fucile e non una pistola.

È importante essere consapevoli del fatto che le domande guidanti non devono necessariamente essere caratterizzate da toni o atteggiamenti ostili. Al contrario: la loro efficacia è di regola potenziata da quegli atteggiamenti neutri o amichevoli che sono quasi sempre preferibili (quanto meno nelle fasi iniziali) anche nel quadro di controesami di impronta oggettivamente distruttiva.

È da suggerire inoltre una attenta vigilanza sul tono e la modulazione della voce nel proporre le domande. La proposizione di domande guidanti mira di regola, infatti, a ottenere risposte affermative. In tale prospettiva è certamente di aiuto porre la domanda con l'intonazione meno interrogativa possibile.

Questa affermazione, dall'apparenza paradossale, richiede qualche chiarimento. Si è detto in precedenza che le *leading questions* sono, più che vere e proprie domande, dichiarazioni di fatto seguite da un punto interrogativo. Una simile definizione rende conto dell'apparente paradosso solo che si consideri come la proposizione di una *leading question* in tono neutro e senza intonazione interrogativa amplifichi la sua attitudine a determinare il risultato voluto, vale a dire una risposta affermativa circoscritta a un semplice «sì».

Riuscire a formulare domande senza intonazione interrogativa è meno facile di quanto possa apparire; richiede consapevolezza dei propri mezzi espressivi e un minimo di pratica.

In particolare per conseguire una corretta impostazione occorre esercitarsi a controllare la modulazione delle domande, evitando l'innalzamento del tono di voce nella fase finale di quelle che abbiamo chiamato *domande guidanti* e che potremmo, altresì, definire domande-affermazione. Quando formuliamo vere domande, per le quali attendiamo risposte articolate, la nostra voce si innalza alla fine della frase. È così che, modulando la voce, interagiamo nella forma del dialogo con l'interlocutore, sollecitando la sua risposta. Al contrario, quando formuliamo una affermazione, la nostra voce discende nella fase finale della frase. Tale discesa della voce modula il carattere assertivo della frase e soprattutto non stimola l'inter-locuzione.

In forme ritualizzate di interazione soggettiva come gli esami dibattimentali (nell'ambito delle quali vi è una assegnazione non biunivoca di ruoli, con un soggetto che domanda e un soggetto che risponde), porre una domanda strutturata e modulata come una affermazione agevola il compito di chi punti a ottenere, in definitiva, un mero cenno di assenso.

Chiarite dunque le premesse si può passare ad effettuare un'applicazione pratica di quanto proposto in via teorica.

Avvocato: Lei conosce bene i tre imputati.
Teste: Sì.
Avvocato: Li ha controllati in più occasioni.
Teste: Sì.
Avvocato: La sera del 5 marzo 1994 lei ha incontrato i tre imputati.
Teste: Sì.
Avvocato: Lei era in servizio?
Teste: No, è scritto anche sulla relazione.
Avvocato: Lei stava attraversando l'incrocio?
Teste: Ero all'altezza dell'incrocio.
Avvocato: Lei era fermo all'altezza dell'incrocio?
Teste: No.
Avvocato: Per quanto tempo gli imputati sono stati nel suo campo visivo?
Teste: Non lo so, qualche secondo.

Avvocato: Gli imputati la hanno vista?

Teste: Non lo so.

Avvocato: A che ora è rientrato a casa?

Teste: Poco dopo.

Avvocato: Quanto tempo dopo questo incontro lei ha saputo che era stato commesso un omicidio?

Teste: Un'ora, un'ora e mezza.

Avvocato: Come lo ha saputo?

Teste: Mi hanno chiamato a casa.

Avvocato: Chi la ha chiamata?

Teste: Un collega, non ricordo chi.

Avvocato: Cosa le disse questo collega che lei non ricorda?

Teste: Mi disse che il dirigente aveva detto che dovevo rientrare perché c'era stato un omicidio.

Avvocato: Cosa fece quando arrivò in questura?

Teste: Mi informai sull'accaduto.

Avvocato: Quando scrisse la relazione di servizio sull'avvistamento?

Teste: Subito.

Avvocato: Vuol dire prima di informarsi sull'accaduto?

Teste: No, subito dopo.

Avvocato: Quando scrisse la relazione lei sapeva chi fosse la vittima.

Teste: Certo.

Avvocato: Quando scrisse la relazione lei conosceva l'orario dell'omicidio.

Teste: Sì, a occhio e croce.

Avvocato: Non ho altre domande.

L'esito raggiunto dal nostro avvocato di fantasia è il massimo concretamente realizzabile nella vicenda in esame.

Abbiamo infatti dato per scontato che nel caso di specie non ci fossero le basi per un controesame distruttivo e che, quindi, l'unica opportunità per il difensore fosse il controesame del primo tipo: quello, per intenderci, che abbiamo definito in precedenza «della limitazione dei danni».

Non era possibile, in sostanza, cancellare del tutto dal processo il contenuto della deposizione (demolendo la credibilità del teste o l'attendibilità della testimonianza) dell'ispettore di polizia e quindi il fatto che i tre imputati fossero stati visti insieme poco prima dell'omicidio.

Era possibile, però, tentare di indebolire il grado di coerenza di quanto riferito dal poliziotto con il quadro complessivo dell'impianto accusatorio. L'esercitazione dimostra in concreto tale possibilità e rende evidente, altresì, come potessero evitarsi i rischi che, nella vera vicenda processuale, hanno condotto a esiti disastrosi.

Si noti, in primo luogo, la struttura assertiva delle prime e delle ultime domande e in particolare l'assenza di intonazione interrogativa (evidenziata graficamente dall'assenza del punto di domanda). Si tratta di *leading questions* in senso tecnico, vale a dire di affermazioni sotto forma di domande. Nessuno spazio è lasciato, con simili domande in sede di controesame, a integrazioni di quanto riferito nel corso dell'esame diretto (come è invece accaduto nella vicenda processuale esaminata), a recuperi di memoria, a correzioni di errori o imprecisioni.

Una simile impostazione, la quale deve essere praticata – come si diceva – con un approccio amichevole o neutro ma mai ottusamente aggressivo, nel peggiore dei casi lascerà invariata la situazione determinatasi con l'esame diretto; non condurrà mai però a un sensibile aggravamento della posizione della parte nel cui interesse si controinterroga, come è invece accaduto all'avvocato del nostro caso pratico.

Osserviamo dunque da vicino la struttura della nostra esercitazione di controesame.

Dopo alcune *domande-affermazioni*, il passaggio relativo al momento in cui l'ispettore incrociò i tre imputati introduce una prima, pur lieve, incrinatura nel nitido quadro disegnato in sede di esame diretto. Emerge infatti che i tre imputati furono nel campo visivo del poliziotto solo per pochi secondi. Si badi che non poteva essere diversamente, atteso che l'avvistamento si verificò a un incrocio con i tre che percorrevano la strada perpendicolare a quella del poliziotto. Il fatto però che l'ispettore sia costretto ad ammetterlo introduce una idea di precarietà della percezione e apre il campo al successivo, più importante passaggio.

Il controesaminatore di fantasia rivolge all'ispettore di polizia una serie di domande, apparentemente innocue (sul tempo trascorso fra l'avvistamento e il rientro a casa; sul tempo trascorso fra il rientro a casa e la conoscenza dell'omicidio; sulla persona che informò il testimone dell'omicidio), alle quali il teste risponde a tono, ma con qualche fisiologico elemento di approssimazione. Il confronto tra tali elementi di approssimazione e l'estrema precisione dell'indicazione dell'orario dell'avvistamento introduce un'ulteriore lieve incrinatura nel quadro delineato dall'esame diretto.

La conclusione del nostro controesame teorico segna indubbiamente un punto a vantaggio del difensore. Il teste, rispondendo ancora una volta a una tipica *domanda guidante* («Quando scrisse la relazione lei conosceva l'orario dell'omicidio»), esplicita una informazione che era già contenuta in quello che lo stesso teste aveva in precedenza dichiarato. Alla corte viene espressamente riferito che la relazione di servizio con l'indicazione dell'orario dell'avvistamento fu redatta da un ufficiale di polizia giudiziaria che aveva appena saputo dell'omicidio e del relativo orario.

Il fatto che l'ispettore sembri quasi costretto ad ammettere, a fine controesame, una circostanza che in realtà era già pacifica, genera un vago senso di dubbio sulla piena attendibilità dell'indicazione oraria dell'avvistamento. Tale senso di dubbio può essere tanto più facilmente generato, quanto meno è esplicito e diretto l'attacco del controesaminatore. Il difensore di fantasia – a differenza di quello vero – non tenta di essere sarcastico o pungente, non formula espliciti rilievi sulla stranezza di una indicazione così precisa di orario, non assume in nessun momento atteggiamenti di contrapposizione con il teste. Per altro verso il teste non ha, di fronte a quella sequenza di domande, alcuno spazio di manovra: è costretto a risposte obbligate e in particolare a rendere espliciti, senza possibilità di offrire spiegazioni, dati suggestivamente negativi per l'ipotesi accusatoria.

Notiamo in particolare come all'ufficiale di polizia giudiziaria non venga lasciata l'opportunità di riferire l'importante dettaglio dell'agendina.

Si tratta, nella vera vicenda processuale, di un dettaglio che consente di fugare ogni dubbio sulla precisione dell'orario di avvistamento e che, anche sotto il profilo psicologico, è idoneo a tranquillizzare pienamente i giudici. La circostanza che nel controesame teorico non venga consentito all'ispettore di riferire tale dettaglio non dipende, come è ovvio, dal fatto che tale controesame teorico è stato elaborato a tavolino. Si ipotizza naturalmente che il controesaminatore della nostra simulazione sia esattamente nelle stesse condizioni del difensore vero e che, quindi, ignori questo particolare. Chiarita tale premessa occorre evidenziare come proprio la struttura delle domande e l'impianto del controesame ipotetico mettano al sicuro l'interrogante da qualsiasi risposta a sorpresa su punti decisivi.

Nel vero controesame sono invece, indiscriminatamente e dissennatamente, utilizzate domande che mirano a ottenere risposte esplicative. Sono le domande precedute da locuzioni del tipo: come, come mai, perché, in che modo, etc.

Tali domande lasciano spazio al testimone, consentendogli di illustrare il senso dei suoi comportamenti e il significato delle sue precedenti risposte. Esse, in definitiva, implicano «il consenso a lasciare spaziare la risposta, ad arricchirla di opinioni personali»[7] e portano con sé il rischio di ricevere risposte impreviste o imprevedibili, idonee comunque a compromettere l'esito del controesame.

7
Collaboratori di giustizia

Un tipo di controesame del tutto particolare cui, per ovvie ragioni, si dedicano in via pressoché esclusiva gli avvocati difensori, e praticamente mai i magistrati del pubblico ministero, è il controesame del collaboratore di giustizia.

La questione dei cosiddetti pentiti, del valore da attribuire alle loro dichiarazioni, delle modalità del trattamento loro destinato, è oggetto di serie riflessioni politiche e giurisprudenziali, ma anche di interventi tanto categorici quanto, spesso, estemporanei e disinformati.

Non è questa la sede per prendere posizione sulla necessità o meno di far ricorso alla legislazione premiale per fronteggiare le forme più aggressive di criminalità organizzata, sulla questione dei modi e dei criteri di ammissione ai programmi di protezione, sul tema del trattamento anche economico da riservare ai collaboratori di giustizia, sul problema della valutazione processuale delle dichiarazioni dei chiamanti in correità.

È però interessante notare come la pratica degli esami dibattimentali di questi soggetti rifletta in qualche modo i connotati e le caratteristiche del dibattito giuridico e politico sull'argomento. Nei processi in materia di criminalità organizzata (nei quali è ovviamente più frequente il ricorso alle dichiarazioni dei collaboratori di giustizia), è infatti possibile riscontrare, accanto a controesami condotti con serenità, consapevolezza del ruolo difensivo e senso della situazione processuale, veri e propri scontri, non sempre composti, fra avvocati e collaboratori.

In questa seconda categoria di casi l'uso di argomenti stereotipi e processualmente irrilevanti nonché la pratica di una strategia aggressiva per preconcetti, si risolvono spesso in cadute di stile e, soprattutto, non sono di alcuna utilità per le posizioni degli imputati colpiti dalle dichiarazioni dei collaboratori di giustizia.

Fatta questa premessa dedichiamoci alla lettura di due verbali dibattimentali, tratti da processi di criminalità organizzata, relativi al controesame di collaboratori di giustizia.

Diversamente dagli altri capitoli, in questo caso si riporteranno i due verbali, uno dopo l'altro, senza commentarli separatamente e sviluppando solo alla fine alcune riflessioni di metodo.

Il primo verbale contiene il controesame di un collaboratore di giustizia, condotto dal difensore di un soggetto accusato, fra l'altro, di avere materialmente preso parte a un tentato omicidio.

Il collaboratore di giustizia in questione (che chiameremo convenzionalmente Carbonara), imputato nel procedimento per omicidi ed altri reati, ha riferito, in sede di esame diretto, di avere raccolto le confidenze carcerarie di un suo compagno di detenzione (corresponsabile del tentato omicidio), il quale gli avrebbe raccontato ragioni e modalità del delitto, indicandone i relativi esecutori materiali.

Ecco il testo del primo controesame.

Avvocato: Signor Carbonara, sono l'avvocato Derossi [nome convenzionale]. Le farò alcune domande. Alcune forse le ha già sentite dai colleghi o dal pubblico ministero. La prego di rispondermi lo stesso.
Imputato: Certo.
Avvocato: Può dirci quando ha maturato la sua decisione di collaborare con la giustizia?
Imputato: L'ho detto prima. Ci ho pensato per diversi mesi... ho cominciato a pensarci poco dopo essere stato messo al 41 bis. A un certo punto non ce l'ho fatta più e ho fatto chiamare il giudice.
Avvocato: È corretto dire che la sua scelta di collaborazione è maturata per effetto del duro regime carcerario?
Imputato: Aspetti, aspetti, bisogna chiarire. Il problema per me non era il carcere – ci ho passato senza problemi tanti anni – il problema era che non potevo vedere i bambini. Li potevo vedere solo una volta al mese, dietro un vetro blindato. Questo fatto mi stava facendo impazzire. Quando chiamai il giudice, quando mi fece il primo interrogatorio, ero come un pazzo.
Avvocato: Vuol dire che era molto turbato?

Imputato: Sì.

Avvocato: Lei ricorda quanto durò quell'interrogatorio?

Imputato: Mi pare che cominciammo la mattina, verso l'ora di pranzo forse, e continuammo fino a notte; e poi tutto il giorno dopo. Mi sembra che ci furono dei fermi subito dopo.

Avvocato: Ricorda se fu nel corso di questo primo interrogatorio che lei parlò del ferimento, del tentato omicidio di X...?

Imputato: Sì, il dottore me lo chiese subito.

Avvocato: Lei allora ne parlò negli stessi termini in cui ne ha riferito qui oggi, durante l'esame del pubblico ministero?

Imputato: Sì.

Avvocato: Prima di venire a deporre qui lei ha riletto i verbali dei suoi interrogatori delle indagini preliminari?

Imputato: Li ho letti con il mio avvocato, è un mio diritto.

Avvocato: Certo. Lei attualmente vive in una località segreta, lontano da qui, vero?

Imputato: Sì.

Avvocato: Viene frequentemente da queste parti?

Imputato: Non ci vengo mai. Non ci posso venire.

Avvocato: Quando si incontra con il suo avvocato?

Imputato: Prima degli interrogatori e delle udienze.

Avvocato: Quindi prima di questa udienza ha incontrato il suo avvocato.

Avvocato del collaboratore: Presidente, io devo oppormi a queste domande. Non si capisce a cosa serva per il processo indagare sul rapporto fra il dichiarante e il suo difensore.

Avvocato: Nulla di cui preoccuparsi, presidente. Desideravo solo sapere se la rilettura dei verbali – più che legittima, beninteso – si sia svolta ieri o comunque nei giorni immediatamente precedenti questa udienza. La risposta mi occorre per valutare la consistenza dei ricordi del signor Carbonara.

Presidente: Va bene, alla domanda così chiarita può rispondere. È stato ieri che ha riletto i verbali dei suoi interrogatori?

Imputato: Sì, ma è stato solo per controllare i dettagli. Io mi ricordavo tutto, perché ho detto sempre la verità.

Avvocato: Bene. Soffermiamoci quindi sull'episodio del ferimento di Esposito. Lei ha detto che questo episodio le fu raccontato dettagliatamente dal Perrelli [nome convenzionale] quando vi trovaste nella stessa cella, nel carcere di X... È esatto?

Imputato: Sì. Devo ripetere il fatto?

Avvocato: No, grazie. Vorrei che precisasse quando le fu fatto questo racconto.

Imputato: Non so dirle la data precisa.

Avvocato: Può dirci, a occhio e croce, quanto tempo dopo il ferimento le fu fatto il racconto?

Imputato: Forse un mese. Non mi fate dire una fesseria, non sono sicuro.

Avvocato: Perrelli per quale motivo era stato arrestato?

Imputato: Gli avevano trovato una pistola, mi pare.

Avvocato: Dunque, lei era già detenuto, Perrelli fu

arrestato per questa pistola, fu messo in cella con lei e le raccontò del tentato omicidio. È esatto?

Imputato: Mi raccontò anche altre cose.

Avvocato: Va bene, ma quello che ho detto è esatto?

Imputato: Non è che entrò in cella e mi raccontò i fatti. Ne parlammo al passeggio due o tre giorni dopo. Avevamo paura che in cella ci fossero microspie.

Avvocato: Ah, ne parlaste al passeggio. Senta, è possibile che questa conversazione sia accaduta un mese dopo l'ingresso in carcere di Perrelli?

Imputato: No. Parlammo subito, in cella, a mezze parole, e poi dopo al passeggio.

Avvocato: Lei allora esclude che Perrelli possa averle parlato di questo tentato omicidio un mese dopo l'ingresso in carcere?

Imputato: [dopo una pausa] No, no, credo di no.

Avvocato: Lei naturalmente si ricorda che Perrelli fu ricoverato in infermeria, poco dopo il suo ingresso in carcere?

Imputato: ... sì, ma quando venne in cella... sì, venne in cella dopo l'infermeria...

Avvocato: Scusi, vuol dire che fu messo in cella con lei dopo la permanenza in infermeria?

Imputato: ... adesso mi sto confondendo. Mi sembra di sì.

Avvocato: Lei naturalmente si ricorderà che Perrelli è stato in infermeria per... vediamo un attimo... per 24 giorni.

Imputato: Non posso dire il numero preciso.

Avvocato: Voglio dire questo: Perrelli entrò in carcere il 19 ottobre 1990 e fu messo in infermeria poco dopo. Il 12 novembre fu allocato in cella con lei. Due o tre giorni dopo, al passeggio, le parlò del ferimento di Esposito. È esatto?

Imputato: Penso di sì.

Avvocato: Scusi, vorrei chiederle perché qualche minuto fa ha escluso che Perrelli potesse averle parlato del ferimento circa un mese dopo l'ingresso in carcere.

Imputato: Ho fatto un poco di casino. Io mi ricordavo due o tre giorni dopo ma perché pensavo a quando lui è entrato in cella.

Avvocato: Quindi adesso mi dice che l'episodio del tentato omicidio le fu raccontato circa un mese dopo l'ingresso in carcere di Perrelli?

Imputato: Sì, credo di sì.

Avvocato: Ma lei mi conferma che al pubblico ministero, quando la interrogò, riferì le stesse cose che ha detto qui in udienza, voglio dire durante l'esame diretto.

Imputato: Sì.

Avvocato: Quindi non ha specificato che Perrelli fu allocato in cella con lei dopo la permanenza in infermeria.

Imputato: Mi chiesero un sacco di cose quella volta, fu il primo interrogatorio, avevo fatto quella scelta che non era facile per me...

Avvocato: È giusto, è normale. È facile in quelle condizioni dimenticarsi qualcosa o fare un po' di confusione, giusto?

Imputato: Sì.

Avvocato: Però lei ci ha detto che ieri si è riletto i verbali, con il suo avvocato, vero?

Imputato: Sì, ma una lettura così... veloce.

Avvocato: Ma oggi lei ha ripetuto, spesso con le stesse parole, quello che disse in quel primo interrogatorio, e negli altri immediatamente successivi, senza nessuna differenza.

Imputato: Perché era la verità.

Avvocato: Ma il fatto che Perrelli le ha raccontato i fatti del tentato omicidio due o tre giorni dopo il suo ingresso in carcere non era vero.

Imputato: Non me lo ricordavo, il fatto dell'infermeria.

Avvocato: E non se lo è ricordato nemmeno quando ha riletto i verbali con il suo avvocato?

Imputato: Le ho detto che abbiamo fatto una lettura veloce.

Avvocato: E dopo questa lettura veloce lei ha deposto in udienza con le stesse espressioni adoperate in quell'interrogatorio! Va bene presidente, non ho altre domande.

Prima di procedere a qualche riflessione e a qualche commento vedremo un secondo, ben diverso controesame di un collaboratore di giustizia sentito, in questo caso, non come teste ma come imputato di reato connesso. Non sono rilevanti il merito della vicenda processuale (si tratta comunque di un maxi processo relativo a numerosissimi reati fra i quali l'associazione per delinquere di stampo mafioso, l'associazione finalizzata al traffico di stupefacenti, omicidi, estorsioni etc.) e il contenuto delle dichiarazioni rese dal collaboratore in sede di esame diretto, considerato che il verbale è proposto per evidenziare un modo errato di impostare il controesame e l'interazione fra avvocato difensore e collaboratore di giustizia.

Avvocato: Senta Bruni [nome convenzionale], lei ha commesso omicidi?

Imputato di reato connesso: Certamente, l'ho già detto, sono...

Avvocato: Guardi, non faccia commenti per piacere, si limiti a rispondere. Sì o no?

Imputato di reato connesso: Ho detto sì, certo.

Avvocato: Quando lei si è pentito era detenuto per questi omicidi?

Imputato di reato connesso: Solo per uno. Per gli altri non sono nemmeno sospettato.

Avvocato: Quanti omicidi esattamente ha commesso?

Imputato di reato connesso: Esecutore materiale: cinque. Mandante: sei.

Avvocato: E lei adesso è libero o detenuto?

Imputato di reato connesso: Detenzione domiciliare.

Avvocato: Da quando ha avuto gli arresti domiciliari?

Imputato di reato connesso: Non ho gli arresti domiciliari, avvocato. Sono definitivo e ho avuto la detenzione domiciliare.

Avvocato: Quando si è pentito lei?

Imputato di reato connesso: Ho cominciato a collaborare dopo l'estate del 1994.

Avvocato: Ha fatto dei colloqui investigativi?

Imputato di reato connesso: Che sono?

Avvocato: Insomma, tutte le volte che è stato sentito è stato fatto un verbale?

Imputato di reato connesso: Certo, c'era il... come si chiama, c'era il registratore.

Avvocato: Sì, ma lei ha firmato sempre un verbale?

Imputato di reato connesso: La firma, sì, ho messo sempre la firma sui fogli.

Avvocato: Ma lei leggeva cosa c'era scritto?

Imputato di reato connesso: Ma sui fogli c'era solo la data, come si chiama... il riassunto, poi c'era il registratore, che veniva registrato tutto...

Avvocato: Insomma lei leggeva o non leggeva?

Imputato di reato connesso: Ho detto che era tutto registrato, che cosa dovevo leggere, la cassetta?

Avvocato: Allora lei non leggeva quello che scrivevano?

Imputato di reato connesso: Io non ho detto...

Presidente: Avvocato, credo che siamo andati abbastanza avanti su questo punto. Faccia un'altra domanda.

Avvocato: Presidente, io ho bisogno...

Presidente: Vada avanti, faccia un'altra domanda.

Avvocato: Lei come pentito prende uno stipendio dallo Stato. Può dirci a quanto ammonta questo stipendio?

Imputato di reato connesso: A questa domanda mi avvalgo della facoltà di non rispondere.

Avvocato: Perché?

Pubblico Ministero: Opposizione, presidente. Il difensore fa le sue domande ed è ovviamente un suo diritto.

L'imputato di reato connesso può però, anche di volta in volta, decidere di non rispondere. Anche questo è un suo diritto su cui non si possono chiedere spiegazioni. Voi giudici naturalmente valuterete se e quanto il rifiuto di rispondere a questa o ad altre domande incida sulla complessiva attendibilità delle dichiarazioni.

Presidente: Opposizione accolta, vada avanti, avvocato.

Avvocato: Lei, oltre agli omicidi, di che reati si occupava?

Imputato di reato connesso: Da minorenne ho fatto rapine, poi estorsioni, spaccio. Poi ho fatto traffico internazionale di stupefacenti, come ho già detto. Cocaina e hashish.

Avvocato: Che quantitativi?

Imputato di reato connesso: Per la cocaina facevamo dieci, quindici, qualche volta anche venti chili a settimana. Per l'hashish andavamo a quintali.

Avvocato: Quanto ha guadagnato con questi traffici?

Imputato di reato connesso: Quando?

Avvocato: In generale, ci dia una idea.

Imputato di reato connesso: Non lo so, centinaia...

Avvocato: Centinaia di cosa?

Imputato di reato connesso: Di milioni, avvocato, di cosa sennò?

Avvocato: E di questi soldi non ha messo niente da parte?

Imputato di reato connesso: Soldi no.

Avvocato: Insomma di tutti questi enormi guadagni della droga non le è rimasto nulla.

Imputato di reato connesso: Mi sono rimasti sei appartamenti perché...

Avvocato: E come mai non le sono stati sequestrati?

Imputato di reato connesso: E chi le ha detto che non mi sono stati sequestrati?

Avvocato: Quando le sono stati sequestrati?

Imputato di reato connesso: Quando ho cominciato a collaborare mi chiedevano dei metodi di riciclaggio, cose che io ne capisco poco. Mi chiesero come facevo io e gli dissi che compravo le case e le intestavo ai prestanome, che non li avrebbero trovati mai se non li dicevo io. Insomma li ho detti e giustamente, la prevenzione... mi hanno sequestrato tutto.

Avvocato: È sicuro di avere indicato tutto?

Imputato di reato connesso: Io sì. Se poi lei sa qualcosa che mi sono dimenticato la può dire.

Avvocato: Presidente, io non tollero che questo signore faccia dello spirito sulle mie domande... io pretendo rispetto perché...

Presidente: Va bene, avvocato, non è il caso di alterarsi. Lei, Bruni, si limiti a rispondere alle domande.

Avvocato: Lei ha detto di essere responsabile, complessivamente, di undici omicidi.

Imputato di reato connesso: Cinque esecutore materiale, sei mandante.

Avvocato: Lei ha rimorso per le persone che ha ucciso?

Imputato di reato connesso: Senta avvocato, io sono cambiato, non sono più quello di prima e mi dispiace di tutti gli omicidi che ho fatto. Però devo dire una cosa. Quasi tutti quelli che io sono responsabile, erano persone come me di allora.

Avvocato: Che vuol dire?

Imputato di reato connesso: Voglio dire che c'erano delle guerre, se io non ammazzavo loro erano loro ad ammazzare me e i miei. A me è dispiaciuto di uno che ammazzammo, che era uno che non c'entrava, che insomma, morì senza che aveva fatto niente...

Avvocato: Mi faccia capire, lei è responsabile di undici omicidi ma le dispiace solo per uno. Per gli altri quindi non è pentito.

Imputato di reato connesso: No, guardi, questo lo sta dicendo lei, io ho detto che...

Avvocato: Io prendo atto che lei è pentito solo per uno degli omicidi di cui è responsabile e questo...

Pubblico Ministero: Presidente, io non so se possiamo consentire questo modo di procedere. Qui bisogna fare domande e attendere risposte, non prendere atto, discutere o peggio litigare con il dichiarante alzando la voce...

Avvocato: Il pubblico ministero non mi deve interrompere...

Presidente: Sono io che vi interrompo. Avvocato, lei deve fare domande, non deve discutere con il testimone... con l'imputato di reato connesso e poi deve lasciarlo parlare. Proceda.

Avvocato: Io non ho altre domande, presidente, quello che mi interessava era far rilevare...

Presidente: Va bene, quello che voleva far rilevare lo potrà evidenziare nelle sue conclusioni.

Abbiamo collocato fianco a fianco due modi diametralmente opposti di interpretare il controesame del collaboratore di giustizia in un processo per fatti di criminalità organizzata.

Sviluppiamo adesso qualche spunto di riflessione, comparando il modo di procedere del primo difensore con quello del secondo.

Si noti innanzitutto, nel secondo controesame, l'assenza di qualsiasi progetto, di qualsiasi dimensione strategica. La sequenza delle domande appare palesemente caratterizzata da criteri di pura casualità e da un incedere per tentativi; lo spirito che sembra ispirare il difensore è quello dell'aggressione indiscriminata. È possibile ravvisare, alla base di questa pessima prova di agire difensivo, un coacervo di luoghi comuni e di opinioni generiche e preconcette.

In primo luogo il controesame in questione sottende l'idea che le dichiarazioni dei collaboratori di giustizia siano l'oggetto di un mercato immorale, quando non addirittura criminale, fra delinquenti efferati e apparati dello stato. Nel quadro di tale mercato immorale si iscriverebbe, per esempio, l'indiscriminata concessione di benefici connessi allo stato di detenzione, la mancata attivazione di procedure patrimoniali di prevenzione, l'attribuzione di ricchi e incontrollabili emolumenti.

Come si diceva in premessa, non è questa la sede per prendere posizione nel generale dibattito sui collaboratori di giustizia. È invece necessario e interessante notare come alcuni luoghi comuni del dibattito politico-giornalistico meno avveduto trovino immediato ingresso in impostazioni difensive di efficacia quantomeno dubbia.

Nel caso di specie il difensore esordisce aggredendo in modo inopinato e del tutto superfluo il collaboratore; procede incorrendo in un grossolano errore giuridico (la confusione fra arresti domiciliari e detenzione domiciliare) per poi avventurarsi in un maldestro tentativo di gettare dubbi sulla regolarità dell'assunzione delle dichiarazioni del collaboratore nella fase delle indagini preliminari. Giunto a questo punto il controesame non solo non ha sortito alcun effetto utile ma, al contrario, è riuscito a indispettire lo stesso presidente, come si può desumere dal tenore piuttosto secco e sbrigativo del relativo intervento.

Nelle successive battute il controesame registra un vistoso autogol. Il difensore, partendo dal presupposto dell'esistenza di trattamenti illegali di favore nei confronti dei collaboratori di giustizia, richiede all'interrogato per quale motivo non gli siano state sequestrate le proprietà immobiliari acquistate con i proventi del traffico di stupefacenti. Il presupposto è infondato e il collaboratore ha modo di offrire alla corte un significativo elemento di valutazione della sua correttezza, quando riferisce di essere stato lui stesso a indicare gli immobili che poi gli sono stati sequestrati. Al difensore, che ancora una volta cerca rifugio in una inutile espressione polemica, tocca subire anche una risposta decisamente sarcastica. La seconda fase si chiude con un nulla di fatto e con l'invito del presidente, rivolto al difensore, ad esercitare un maggiore autocontrollo. Da questo invito certo l'avvocato non trae un guadagno in termini di immagine e di dignità professionale.

Nella fase finale del controesame il difensore cerca di attaccare l'attendibilità del collaboratore, ponendo l'accento sul suo passato di efferato pluriomicida e sulla presunta insussistenza di sintomi di ravvedimento morale.

Anche qui un equivoco e un luogo comune ispirano l'agire dell'avvocato.

Innanzitutto, infatti, l'esistenza di pentimento morale non è questione che rilevi in alcun modo ai fini della valutazione di attendibilità. Che il pentimento morale sussista o meno (ammesso che esistano strumenti per accertarlo) non incide assolutamente, in positivo o in negativo, sulla qualità e sulla credibilità delle dichiarazioni. In secondo luogo non ha nessuna influenza, come vedremo, la circostanza che il collaboratore di giustizia abbia un passato criminale. Un tale passato è anzi, di regola, il presupposto stesso per l'assunzione della qualità di collaboratore di giustizia.

Questo verbale è insomma un buon distillato di tutto ciò che occorre evitare, procedendo al controesame di un collaboratore di giustizia. Miope in particolare sembra la scelta, frequentemente praticata in questo tipo di processi, di interpretare il controinterrogatorio di questi soggetti come un indiscriminato assalto a colpi di clava piuttosto che come una sorta di delicato intervento chirurgico. Cercare in ogni caso di attaccare a tutto campo l'attendibilità del collaboratore di giustizia in base a luoghi comuni e in base al presupposto, ovvio e di per sé solo insignificante, della sua qualità pregressa di pericoloso criminale molto difficilmente può condurre a utili risultati processuali. Dimostrare che il collaboratore di giustizia era, prima della scelta di collaborazione, un soggetto dedito al delitto e far risultare che tale soggetto è destinatario di benefici processuali nonché di misure di protezione e assistenza equivale sostanzialmente a provare l'ovvio e il notorio ed è quindi, nel migliore dei casi, uno sforzo superfluo.

Ogni collaboratore è, di regola, persona proveniente da qualificate esperienze criminali, e anzi tale provenienza costituisce la base necessaria perché il collaboratore possa adoperarsi, rendendo le sue dichiarazioni, «per evitare che l'attività delittuosa (delle associazioni per delinquere di stampo mafioso) sia portata a conseguenze ulteriori, anche aiutando concretamente l'autorità di polizia o l'autorità giudiziaria nella raccolta di elementi decisivi per la ricostruzione dei fatti e per l'individuazione o la cattura degli autori dei reati».[1]

Moltissimi collaboratori, trasferiti dai luoghi di residenza insieme con le loro famiglie, sono poi destinatari di misure di protezione e assistenza senza le quali sarebbero esposti a rischi gravissimi e non disporrebbero nemmeno dei mezzi elementari di sussistenza.

Il controllo critico della credibilità dei collaboratori può e deve essere sviluppato con grande determinazione; questa fonte di prova, attesa la sua straordinaria delicatezza, richiede un vaglio attentissimo e scrupoloso, dal punto di vista della attendibilità intrinseca prima ancora che sotto il profilo della sussistenza di riscontri esterni. Nei processi impostati (anche) sulle dichiarazioni dei collaboratori di giustizia incombe senza dubbio, sulla difesa tecnica e consapevole, uno straordinario onere di diligenza e professionalità.

Proprio in tale prospettiva, far degenerare il controesame al rango di una rissa e, in definitiva, sprecare tale fondamentale strumento al solo scopo di far emergere l'ovvio o il notorio appare gravemente criticabile anche dal punto di vista degli obblighi del difensore nei confronti dei suoi assistiti.

Del tutto diverso il modo di operare del difensore del primo verbale; del tutto diverso il risultato conseguito con il relativo controesame.

Tenendo conto del paradigma negativo già tratteggiato, vediamo cosa *non* fa il difensore dell'imputato accusato di tentato omicidio.

Egli non imposta il controesame sul piano della contrapposizione e dello scontro; al contrario esordisce e procede con un fare sereno e conciliante, evitando ogni spunto polemico, anche rispetto al difensore del collaboratore. Il controinterrogatorio non è ostruito o rallentato da inutili polemiche e procede in modo fluido e comprensibile dai giudici verso l'obiettivo – specifico – che si era proposto.

Il difensore non tenta poi una improbabile demolizione integrale della figura del collaboratore, facendo leva sul suo passato criminale o sull'esistenza o meno di motivi morali a base della scelta di collaborazione.

Al contrario si concentra su uno specifico aspetto della deposizione resa in sede di esame diretto e, grazie a una adeguata preparazione e a una organizzazione strategica della sequenza delle domande, chiude il dichiarante nell'angolo di incongruenze e difetti di memoria. L'effetto che ne deriva è circoscritto ma significativo: l'attendibilità del collaboratore, quantomeno sullo specifico punto oggetto del controesame, è infatti decisamente compromessa. L'influenza di questo effetto (di per sé solo non determinante) sull'esito del processo dipenderà naturalmente dal quadro complessivo delle acquisizioni probatorie. Sta di fatto però che il difensore, nel caso di specie, agendo con correttezza ed efficacia, ha posto una possibile premessa per rappresentare al giudice l'esistenza di un dubbio ragionevole sulla responsabilità dell'imputato e, in definitiva, per prospettare attendibilmente una decisione assolutoria.

8
Soggetti deboli

Gli anziani, i soggetti con handicap e soprattutto i bambini pongono, anche al controesaminatore esperto, una delle sfide più difficili ed impegnative.

Nell'opera *The Art of Questioning* Peter Megargee Brown distilla in trenta massime la sua versione dell'arte della *cross-examination*. La massima numero 29 così recita: «Evita di infierire su bambini, anziani etc.».

Per comprendere ciò di cui si parla è necessaria qualche considerazione preliminare sulla disciplina dettata dal codice per l'esame testimoniale dei minorenni.

In deroga al principio generale per cui negli esami dibattimentali le domande sono rivolte direttamente dal pubblico ministero o dal difensore, il codice prevede che l'esame testimoniale del minorenne sia condotto dal presidente su domande e contestazioni proposte dalle parti. La possibilità che le parti conducano direttamente esame e controesame è prevista come ipotesi meramente eventuale. Dispone infatti il legislatore che il presidente, laddove ritenga che l'esame diretto del minore non possa nuocere alla serenità del teste, consenta, con ordinanza revocabile in ogni momento, che la deposizione abbia luogo nelle forme ordinarie.

Questa disciplina, che non senza argomenti è stata duramente criticata,[1] pare entro certi limiti giustificata tenendo conto delle peculiarità della testimonianza dei minori, e in particolare dei bambini più piccoli.

È infatti acquisito dagli studi psicologici che si occupano di questi temi che i bambini, «se avvicinati in modo suggestivo, possono facilmente cambiare la descrizione di quello che hanno visto o che è stato loro fatto».[2] Sembra che il tessuto stesso del ricordo di un bambino possa essere irrimediabilmente alterato per effetto di una o più domande suggestive o comunque per effetto di sollecitazioni esterne, anche se involontarie.

In un esperimento elaborato per verificare l'attendibilità dei ricordi infantili, a bambini di 9 o 10 anni fu raccontato (dai loro fratelli maggiori) che all'età di 4 o 5 anni erano sfuggiti a un tentativo di rapimento. Gli fu detto che, mentre si trovavano al supermercato con la mamma, in un momento di distrazione di quest'ultima, uno sconosciuto li aveva presi per mano e si era diretto verso l'uscita. La mamma si accorse dell'accaduto, si mise a gridare e così mise in fuga il rapitore. L'episodio non era in realtà mai accaduto ma, dopo pochi mesi dal racconto, i bambini non solo credevano di ricordarlo (in realtà e in un certo senso: lo *ricordavano*) ma, nel riferirlo, aggiungevano addirittura ulteriori dettagli, non presenti nella originaria versione.[3]

Non si tratta in questo caso di domande suggestive alteratrici del tessuto del ricordo, ma di una vera e propria inoculazione di una memoria inesistente. L'esperimento chiarisce però, in generale e più di mille discorsi, quale oggetto delicato sia la testimonianza infantile; fa percepire la necessità di maneggiare tale oggetto con la massima cautela e la massima circospezione possibile, ben prima della fase dibattimentale.

Per praticare con efficacia e correttezza il controesame di un bambino, così come il controesame di un anziano o di altri soggetti deboli, sono necessarie, ma non sufficienti, le qualità, le capacità tecniche e gli stessi rudimenti di psicologia cui si è fatto cenno nei precedenti capitoli. Ad esse vanno unite doti di garbo e di sensibilità in un quadro di responsabile e matura consapevolezza del proprio ruolo.

Chi debba procedere al controesame dei cosiddetti soggetti deboli può facilmente trovarsi nella fondata e legittima necessità di demolire una testimonianza diretta inesatta, quando non addirittura falsa[4] in tutto o in parte. Per conseguire il suo obiettivo il controesaminatore dovrà praticare un grande autocontrollo evitando in ogni modo di mostrarsi aggressivo, ostile o anche solo condiscendente. La mancanza di rispetto nei confronti di questi soggetti, più che in ogni altro caso, può generare una ostilità inconscia da parte dei giudici davanti ai quali l'esame si svolge. Questo, naturalmente, non favorisce una valutazione serena delle prove e rischia di ridurre l'obiettività della decisione.

Gli esempi che seguono costituiscono la dimostrazione delle difficoltà di operare in modo adeguato in questa materia delicata.

Il primo caso è tratto da un processo per atti di libidine violenta commessi in danno di due bambine di otto e nove anni. Accusato del fatto è un uomo di mezza età, portiere di uno stabile. Si riportano qui di seguito ampi stralci non solo del controesame ma anche dell'esame diretto condotto dal pubblico ministero.

Pubblico Ministero: Signor presidente, saremmo d'accordo con la difesa di chiederle di consentire l'esame diretto della teste minore Daniela Rossi [nome convenzionale]. Il processo si svolge a porte chiuse, la situazione è tranquilla, insomma credo non ci siano elementi ostativi.

Difensore: La difesa si associa.

Presidente: Il tribunale, sentite le parti, letto l'art. 499 c.p.p. ultimo comma, ritenuto che il processo si svolge a porte chiuse, ritenuto che i due imputati non sono presenti, ritenuto che su tali basi appare garantita la serenità della teste Rossi Daniela, dispone che l'esame si svolga nelle forme ordinarie.

[viene introdotta la bambina accompagnata da una assistente sociale].

Pubblico Ministero: Ciao Daniela.

Teste: ... ciao.

Pubblico Ministero: Daniela, vuoi dire a questi signori come ti chiami e quanti anni hai?

Teste: Mi chiamo Rossi Daniela, ho otto anni e mezzo.

Pubblico Ministero: Quando sei nata, Daniela?

Teste: 20 marzo 1985.

Pubblico Ministero: Che classe fai, Daniela?

Teste: La terza.

Pubblico Ministero: Come vai a scuola?

Teste: ... bene.

Pubblico Ministero: Ti ricordi quando ci siamo incontrati io e te?

Teste: Sì.

Pubblico Ministero: Ti ricordi di cosa abbiamo parlato?

Teste: Sì.

Pubblico Ministero: Vuoi raccontare a questi signori quello che hai detto a me?

Teste: Il fatto del portiere di casa di Mariella?

Pubblico Ministero: Sì, brava.

Teste: ...

Pubblico Ministero: Come si chiama questo signore?

Teste: Franco.

Pubblico Ministero: Dove lo hai conosciuto tu?

Teste: Quando andavo a casa di Mariella per giocare.

Pubblico Ministero: Dove abita Mariella?

Teste: Dietro a casa mia, è vicino.

Pubblico Ministero: Quando andavi a casa di Mariella che facevate?

Teste: Lei scendeva e andavamo ai giardinetti.

Pubblico Ministero: Dove sono i giardinetti?

Teste: Di fronte.

Pubblico Ministero: Ai giardinetti giocavate da sole?

Teste: No, c'erano gli altri bambini.

Pubblico Ministero: Quando andavi a prendere Mariella dov'era il signor Franco?

Teste: Stava seduto davanti al portone.

Pubblico Ministero: Ti ha mai rivolto la parola?

Teste: ...

Pubblico Ministero: Avete mai parlato, lui ti diceva qualcosa?

Teste: Sì.

Pubblico Ministero: Cosa diceva?

Teste: Diceva che assomigliavo alla sua nipotina, poi mi regalava i chupa chups.

Pubblico Ministero: I chupa chups sono dei lecca-lecca?

Teste: Sì.

Pubblico Ministero: E quando ti dava i chupa chups cosa diceva?

Teste: Voleva che li aprivo e li leccavo subito.

Pubblico Ministero: Davanti a lui?

Teste: Sì.

Pubblico Ministero: È successo qualche volta che la tua amica Mariella non fosse in casa?

Teste: Sì.

Pubblico Ministero: Ti ricordi quando?

Teste: No.

Pubblico Ministero: Ti ricordi se avevi già compiuto otto anni?

Teste: No.

Pubblico Ministero: Ti ricordi se era un periodo in cui andavi a scuola?

Teste: No, era vacanza, era estate.

Pubblico Ministero: Bene. Vuoi dirci cosa è successo quella volta?

Teste: Franco mi disse che non aveva i chupa chups ma a casa aveva i gelati.

Pubblico Ministero: E allora cosa è successo?

Teste: Siamo andati a casa sua.

Pubblico Ministero: Dov'è casa sua?

Teste: Nel portone dietro.

Pubblico Ministero: Nello stesso palazzo di Mariella?

Teste: Sì.

Pubblico Ministero: Cosa è successo? Ti ha dato il gelato?

Teste: No. Ha detto che erano finiti.

Pubblico Ministero: E allora cosa è successo?

Teste: Franco mi disse se soffrivo il solletico.

Pubblico Ministero: E tu?

Teste: Io non lo soffro il solletico.

Pubblico Ministero: E glielo hai detto?

Teste: Sì.

Pubblico Ministero: E lui?

Teste: Ha detto che non ci credeva, che tutti i bambini soffrono il solletico.

Pubblico Ministero: E cosa ha fatto?

Teste: Mi ha fatto il solletico, ma io non ridevo.

Pubblico Ministero: Dove ti ha fatto il solletico?

Teste: Qui [indicando le ascelle].

Pubblico Ministero: Poi ha fatto qualche altra cosa?

Teste: Ha detto che anch'io gli dovevo fare il solletico.

Segue a questo punto una descrizione piuttosto precisa (e punteggiata anche da qualche espressione cruda) degli atti di libidine che l'imputato avrebbe indotto la bambina a praticare su di lui. L'esame diretto si conclude nel modo che segue.

Pubblico Ministero: E quando si è rivestito cosa ha fatto?

Teste: Mi ha detto che non dovevo raccontare niente a nessuno... che era un segreto.

Pubblico Ministero: E se avessi raccontato qualcosa?

Teste: ... non lo so, succedevano le cose brutte.

Pubblico Ministero: Quali cose brutte?

Teste: ... non lo so.

Pubblico Ministero: Va bene, non importa. Tu però lo hai raccontato lo stesso il fatto?

Teste: Sì, alla mia mamma.

Pubblico Ministero: Solo alla mamma?

Teste: Anche a lei [indicando l'assistente sociale presente in aula], a Francesca.

Pubblico Ministero: E Francesca cosa ti ha detto?

Teste: Mi ha detto che dovevo dire la verità, del fatto di Franco...

Pubblico Ministero: E tu l'hai detta la verità?

Teste: Sì.

Vediamo ora il controesame condotto dal difensore dell'imputato.

Difensore: Allora tu hai raccontato che questo signore ti avrebbe fatto entrare in casa sua per darti un gelato che poi però non aveva. È vero?

Teste: Che cosa?

Difensore: Il fatto che ho detto.

Teste: Che Franco non c'aveva il gelato?

Difensore: Sì.

Teste: Sì.

Difensore: È vero che ti ha fatto entrare in casa per darti un gelato?

Teste: Sì.

Difensore: E quando hai visto che non aveva il gelato, perché non te ne sei andata?

Teste: Lui mi ha detto se soffrivo il solletico...

Difensore: Sì, questo lo hai detto, ma quello che volevo sapere è questo: tu hai accettato di entrare in casa di questo signore perché lui ti aveva promesso un gelato; quando sei entrata hai saputo che però gelati non ce n'erano. Allora per quale motivo ti sei trattenuta?

Teste: ... non ho capito.

Difensore: Va bene, poi magari ne riparliamo. Ti ricordi com'era dentro quella casa?

Teste: Era buio, si scendeva da una scala... non mi ricordo bene... c'erano due gatti.

Difensore: A parte i gatti ti ricordi qualche altro particolare? Com'era l'arredamento?

Teste: L'arredamento?

Difensore: I mobili, com'erano i mobili?

Teste: ... c'era un divano...

Difensore: C'era solo un divano? Tavoli, sedie, televisione?

Teste: ... non mi ricordo...

Difensore: Insomma in questa casa era buio, c'erano i gatti e un divano e basta?

Pubblico Ministero: Presidente, vi è opposizione. Innanzitutto la bambina ha solo detto che non ricorda, non che non c'era altro. In secondo luogo devo sollecitare un tono più pacato nella proposizione delle domande, altrimenti sarò costretto a chiedere la revoca dell'ordinanza ammissiva dell'esame diretto.

Difensore: Presidente, io non ho mai interrotto il pubblico ministero e comunque non mi sembra di essere poco pacato.

Presidente: Avvocato, il pubblico ministero ha diritto di fare le sue opposizioni. In ogni caso cerchi di usare un tono un po' meno concitato, altrimenti la teste non capisce nemmeno bene le sue domande.

Difensore: Vuoi dirci se ti ricordi qualche altra cosa di questa casa?

Teste: Lui mi disse di sedermi sul divano e andò nell'altra stanza. Poi tornò e disse che i gelati erano finiti e si sedette anche lui sul divano e poi...

Difensore: Scusa, io non ho chiesto questo. Volevo sapere se ricordassi gli altri mobili di questa casa.

Teste: No.

Difensore: Va bene. A chi hai raccontato questa storia?

Teste: Alla mia mamma.

Difensore: Quando?

Teste: Non mi ricordo.

Difensore: Perché hai raccontato alla mamma questa storia? Non hai detto che quell'uomo ti aveva detto che non dovevi dirlo a nessuno?

Teste: Ma la mamma mi chiese che cosa era successo.

Difensore: Perché?

Teste: ...

Difensore: La tua mamma ha detto che quel giorno eri tornata tardi a casa.

Teste: Sì.

Difensore: Eri tornata altre volte tardi a casa?

Teste: ... sì.

Difensore: E quelle altre volte la mamma ti aveva rimproverata?

Teste: ... sì.

Difensore: E quel giorno tu avevi paura di essere rimproverata?

Teste: ...

Difensore: Insomma tu hai raccontato questa storia per paura di essere rimproverata?

Teste: Sì.

Difensore: Ma non era vera?

Teste: Sì.

Difensore: Sì cosa?

Teste: Era vera.

Difensore: Lo sai che quel signore è stato arrestato?

Teste: Sì.

Difensore: Chi te lo ha detto?

Teste: Francesca mi disse che non dovevo avere paura perché se dicevo la verità quello lo arrestavano e non mi poteva fare niente.

Difensore: Francesca ti disse che lo faceva arrestare?

Teste: Sì, disse che i carabinieri... che lei conosceva i carabinieri e se dicevo la verità lo arrestavano.

Difensore: Ma lo sai che poi è stato arrestato veramente?

Teste: ... sì...

Difensore: Voglio dire: tu hai detto che Francesca ti disse che lo avrebbe fatto arrestare, ma lo sai che dopo le cose che hai detto il signor Franco è stato arrestato veramente? Hai capito la domanda?

Teste: Non ho capito.

Difensore: ... va bene presidente, non ho altre domande.

Il verbale è una buona dimostrazione di come non si debba procedere quando si ha l'opportunità di controesaminare, senza la mediazione del presidente, un teste minore e in particolare un bambino. Questo verbale non è caratterizzato da errori madornali o da domande suicide[5] e presenta piuttosto un impianto strategico complessivamente errato; degno di nota negativa poi è il modo, inappropriato, di proporre le domande, sia quanto alla loro struttura, sia quanto (nei limiti in cui è possibile percepire ciò dalla lettura del verbale) al tono.

Il controesame comincia con un paio di domande lunghe e farraginose. Domande simili sono da evitare in generale e sono sommamente sconsigliabili quando si esamina un bambino.[6] Domande di tale tipo generano sostanzialmente una falsa partenza del controesame e infatti il difensore, quando si rende conto del fatto che la bambina non capisce cosa le viene richiesto, è costretto a cambiare argomento. Il flusso della comunicazione fra i due appare subito compromesso seriamente. Il controesaminatore tratta infatti la piccola testimone come se avesse di fronte una persona adulta e le chiede spiegazioni sui fatti in base a modelli di comportamento e di interpretazione della realtà applicabili, appunto, a un adulto e non a un bambino.

Dopo tale falsa partenza il difensore introduce uno spunto corretto, perché – evidentemente ai fini di una valutazione di attendibilità – richiede alla bambina di descrivere l'appartamento dove si sarebbe consumato il reato. Anche in questo caso però il controesaminatore commette l'errore di interloquire con la testimone trattandola da adulta piuttosto che da bambina: a fronte di una descrizione decisamente sommaria del luogo del reato (descrizione che una difesa più accorta avrebbe forse potuto valorizzare per mettere in dubbio la credibilità dell'intero racconto), l'interrogante mostra uno scarso controllo tattico della situazione. Egli infatti, con tono verosimilmente concitato, manifesta in termini espliciti, anche se sotto forma di domanda, la sua perplessità sulla descrizione fornita dalla bambina.

Scatta, come si diceva, l'opposizione del pubblico ministero, interviene il presidente e il difensore riformula la domanda. Questo passaggio è di particolare interesse e merita di essere riletto.

Difensore: Vuoi dirci se ti ricordi qualche altra cosa di questa casa?
Teste: Lui mi disse di sedermi sul divano e andò nell'altra stanza. Poi tornò e disse che i gelati erano finiti e si sedette anche lui sul divano e poi…
Difensore: Scusa, io non ho chiesto questo. Volevo sapere se ricordassi gli altri mobili di questa casa.

Il difensore torna a insistere sulla richiesta di descrizione della casa. Casa che, evidentemente, la testimone non ricorda, se non nei pochi particolari che ha già fornito. La bambina però, stimolata, messa sotto pressione, trova nei suoi ricordi una via d'uscita che ha solo un esito negativo per la posizione dell'imputato.

Il meccanismo è molto interessante. La richiesta del difensore attiene all'arredamento della casa e mira a ottenere sul punto un approfondimento; la bambina non ricorda altri dettagli ma percepisce, di fronte all'insistenza dell'interrogante, la necessità di fornire una risposta. Sforza dunque il suo ricordo partendo dall'unico elemento di arredamento che rammenta, cioè il divano. Dalla concentrazione su questo dettaglio deriva l'emergenza del ricordo su un altro, ben più significativo particolare, non riferito in sede di esame diretto.

La bambina racconta infatti di essersi seduta sul divano su richiesta dell'imputato, lasciando intendere – anche se, ormai troppo tardi, il difensore la interrompe – che la consumazione del reato ebbe inizio proprio su tale divano. La piccola testimone con ciò fornisce una spiegazione implicita ma assai solida del perché ricordi, fra le varie suppellettili che verosimilmente erano in quella casa, appunto solo il divano.

L'esito di questa fase del controesame è decisamente negativo per la difesa sotto un profilo duplice. In primo luogo, come si diceva, è emerso un ulteriore significativo elemento per l'impostazione accusatoria. Tale elemento arricchisce – particolareggiandola – la ricostruzione della condotta illecita, per ciò stesso incrementando il grado di credibilità intrinseca della narrazione.

In secondo luogo la reazione del difensore – che rendendosi conto del negativo sviluppo cerca di neutralizzarlo interrompendo la risposta – sottolinea, dal punto di vista psicologico, l'imprevista (e negativa, per lui) svolta del controesame; il tentativo di parare il colpo interrompendo la teste non fa che attirare ulteriormente l'attenzione degli osservatori (e in particolare dei giudici) sul dato e sulla sua importanza.

Dopo tale sfortunato passaggio il controesame prende un'altra direzione, seguendo uno spunto non privo di interesse. Viene infatti introdotto il tema del timore che la bambina aveva dei rimproveri materni, in relazione a qualche rientro a casa in ritardo.

Acquisito il dato, sarebbe stato opportuno svilupparlo con maggiore cautela, con domande indirette che approfondissero il tema dei rimproveri per sondare il campo alla ricerca di bugie o piccoli espedienti che la bambina, in altre circostanze, potesse aver usato per giustificarsi. Ciò avrebbe consentito di generare quantomeno un principio di dubbio sulla sincerità e comunque sulla piena attendibilità del racconto relativo alla violenza subita.

La fretta di evidenziare il punto genera però l'opposto risultato di disperdere una utile acquisizione tattica. In modo ingenuamente diretto viene richiesto alla bambina se, in pratica, si sia inventata tutto per trovare una giustificazione per il suo ritardo davanti alla mamma.

La bambina, naturalmente, conferma invece di aver detto la verità.

È appena il caso di considerare sul punto che se i risultati del controesame non fossero stati bruciati entrambi in una sorta di contraddittorio improprio con la teste[7] sarebbe stato possibile farne uso (anche indipendentemente da ulteriori acquisizioni) in sede di discussione. La lacunosità della descrizione della casa e il timore della bambina per i rimproveri materni sarebbero stati infatti argomenti dotati di senso in una impostazione difensiva volta ad adombrare un dubbio ragionevole sulla attendibilità della teste.

Come si diceva, però, il difetto di autocontrollo del difensore ha determinato una neutralizzazione sostanziale, nell'ambito dello stesso controesame, di entrambi gli argomenti.

Il caso dell'accusa, da questo controesame, non solo non è stato indebolito ma, al contrario, ha trovato qualche elemento di rinforzo.

Il secondo caso riguarda il controesame di un giovane contadino semianalfabeta, con qualche problema psichico. Il soggetto – maggiorenne – è teste della difesa in un processo per lesioni personali gravi.

Il testimone ha riferito, in sede di esame diretto, con il suo lessico elementare ma in termini abbastanza chiari, di aver visto i due protagonisti della lite discutere animatamente senza però passare, in un primo momento, alle vie di fatto; di avere visto subito dopo la persona offesa prendere un grosso sasso e avvicinarsi al suo avversario pronunciando frasi minacciose; di avere visto infine che l'imputato reagiva servendosi del manico di una zappa.

Ecco dunque il testo del controesame condotto dal pubblico ministero. Occorre precisare che la maggior parte delle risposte del testimone sono state rese in dialetto. Si riporta qui una traduzione, il più possibile fedele, di lessico e spirito delle risposte stesse.

Pubblico Ministero: Ci può dire che scuola ha frequentato lei?

Teste: Quale scuola?

Pubblico Ministero: Fino a che classe lei è andato a scuola?

Teste: Chi?

Difensore: Signor pubblico ministero, il teste non è abituato a sentirsi dare del lei.

Pubblico Ministero: Vuoi dirci che classe hai fatto?

Teste: Non ne capivo io, di scuola.

Pubblico Ministero: Sei mai andato a scuola?

Teste: Sì, ma non ne capivo.

Pubblico Ministero: Non ti ricordi che classe hai fatto?

Teste: La seconda.

Pubblico Ministero: La seconda elementare?

Teste: … ehm…

Pubblico Ministero: Vuol dire sì?

Teste: Sì.

Pubblico Ministero: Sai leggere e scrivere?

Teste: So fare la firma.

Pubblico Ministero: Hai detto che lavori nei campi.

Teste: Sì, faccio tutte cose, quando c'è la giornata [espressione adoperata per indicare l'ingaggio giornaliero per i braccianti agricoli].

Pubblico Ministero: E il giorno della lite avevi trovato la giornata?

Teste: Che lite?

Pubblico Ministero: Quella che abbiamo detto prima.

Teste: Sì, sì.

Pubblico Ministero: E a che ora ci fu questa lite?

Teste: Meh, mo' non mi ricordo.

Pubblico Ministero: Non sai dire a che ora si sono svolti i fatti che hai raccontato?

Teste: Non ne tengo orologi, non lo leggo l'orologio.

Pubblico Ministero: Non sai leggere l'orologio?

Teste: No.

Pubblico Ministero: Ti ricordi quanto tempo fa c'è stata questa lite? Un mese, due mesi, un anno?

Teste: ...

Pubblico Ministero: Però ti ricordi molto bene che Antonelli [la persona offesa; nome convenzionale] prese la pietra?

Teste: Chi è Antonelli?

Pubblico Ministero: Antonelli è quello che si è preso le bastonate.

Teste: Lui prese il sasso, ce lo voleva dare in testa a Rocchino.

Pubblico Ministero: Questo te lo ricordi molto bene, vero?

Teste: Sì.

Pubblico Ministero: Sei sicuro di avere visto quella scena?

Teste: Come sicuro?

Pubblico Ministero: Non è che hai detto qualche bugia?

Difensore: Opposizione! Questa è una intimidazione bella e buona. Non spetta al pubblico ministero...

Teste: Io bugie non ne ho dette. Quello, come si chiama, ci voleva dare il sasso in testa a Rocchino, Rocchino ha preso la mazza e ce l'ha data in testa...

Pubblico Ministero: Vedo che lei usa esattamente le stesse parole che ha usato prima...

Teste: Che parole?... Cosa è il fatto?...

Pubblico Ministero: Va bene presidente, è inutile continuare, questo teste si commenta da solo.

Difensore: Io protesto, presidente, non vedo perché il pubblico ministero debba offendere il testimone.

Presidente: Pubblico ministero, si astenga dai commenti. Ha altre domande?

Pubblico Ministero: No, ho finito.

Anche questo caso costituisce un esempio di come *non* si debba procedere. Sin dall'esordio appare chiaro che il controesaminatore manca di un disegno strategico e non è in grado di modulare le sue domande sulla specificità del soggetto da interrogare. Il primo sintomo di tale inadeguatezza risulta chiaramente dall'uso del lei: il giovane contadino, abituato a sentirsi dare solo del tu, non capisce le prime domande, e da ciò deriva un esordio surreale. Come nel caso precedente abbiamo qui una falsa partenza del controesame.

Le domande successive non migliorano la situazione.

È evidente infatti l'intento del pubblico ministero di far risaltare l'inattendibilità del testimone sottolineando il suo basso livello intellettivo e culturale. Questa è una manovra che, se assolutamente necessaria, va praticata comunque con estrema cautela perché non si risolva in una aggressione gratuita e offensiva a un soggetto in condizioni di inferiorità. Nel caso specifico, ammesso che la manovra fosse necessaria (del che è lecito dubitare considerata l'evidenza delle condizioni personali del soggetto), il controesaminatore la conduce procedendo a casaccio e assumendo toni via via più sgradevoli. Toni inutilmente sgradevoli perché il teste non afferra il sarcasmo dell'interlocutore e, peraltro, reagisce con efficacia quando coglie il dubbio del controesaminatore sulla sua sincerità.

È interessante notare come il pubblico ministero, evidentemente indispettito dall'opposizione del difensore e dalla risposta del testimone (che, affermando con energia di aver detto la verità, ripete in sintesi l'essenziale della sua deposizione) ripassi dall'uso del tu all'uso del lei. Si tratta di un dettaglio non privo di significato. Esso rivela infatti lo scarso controllo della interazione da parte del controesaminatore e prelude a un vero e proprio scatto di nervi che suscita la giusta reazione del difensore e l'opportuno richiamo del presidente.

Il controesame non consegue alcun risultato utile dal punto di vista probatorio, mentre l'immagine professionale e istituzionale del pubblico ministero ne risulta spiacevolmente intaccata.

9
Teste ostile e domande suggestive

Nei sistemi processuali di *common law* a consolidata tradizione accusatoria è previsto che il teste, il quale renda dichiarazioni contrarie alla parte che ne ha richiesto l'audizione, venga formalmente dichiarato ostile dal giudice. Da ciò deriva l'attribuzione, alla parte che ha visto il suo teste divenire ostile, delle facoltà processuali di norma pertinenti alla controparte. Fra queste, in particolare, la possibilità di proporre domande suggestive, utili per valutare l'attendibilità e, di regola, vietate nell'esame diretto.

Una simile disciplina non è prevista nel nostro sistema di regole processuali in cui il vaglio di attendibilità delle dichiarazioni del teste rivelatosi ostile sembra essere affidato essenzialmente allo strumento delle contestazioni.

È un dato di fatto però che l'esame diretto del teste rivelatosi ostile costituisce funzionalmente e operativamente una forma atipica di controesame. Come tale va dunque studiato.

Il verbale che ci accingiamo a esaminare è tratto da un processo per associazione mafiosa, omicidi, estorsioni e altri gravi delitti. In particolare si tratta dell'esame diretto condotto dal pubblico ministero sulla vittima di una estorsione.

Le indagini relative all'episodio estorsivo avevano consentito di accertare, grazie all'apporto di un collaboratore di giustizia – il quale dell'estorsione si era autoaccusato chiamando in correità altri soggetti – che un imprenditore edile era stato costretto a cedere due appartamenti a un prezzo di gran lunga inferiore a quello di mercato.

Il provento dell'estorsione era appunto consistito nella differenza fra il valore reale degli immobili e la somma, irrisoria, effettivamente corrisposta. Sempre nel corso delle indagini erano state acquisite le dichiarazioni dell'imprenditore che in precedenza non aveva riferito agli inquirenti di avere ceduto alle pretese degli estorsori. Dopo un iniziale atteggiamento di non collaborazione la vittima dell'estorsione aveva ammesso i fatti, confermando integralmente, sia per quanto riguarda le modalità delle condotte che per quanto riguarda l'identificazione dei responsabili, la versione fornita dal collaboratore di giustizia. Ecco dunque l'esame diretto della persona offesa (che convenzionalmente chiameremo Rossi) condotto dal pubblico ministero.

Pubblico Ministero: Vuol riferire alla corte che attività svolge?

Teste: Sono ingegnere ma svolgo l'attività di imprenditore edile.

Pubblico Ministero: Ha mai subìto richieste estorsive? Lei, la sua famiglia o la sua azienda?

Teste: Sì. Esattamente il 19 settembre 1989, verso le ore 11.00.

Pubblico Ministero: Ci dica cosa successe.

Teste: Stavamo nella sala da pranzo io, mia moglie e i miei due figli. Stavamo pranzando quando, verso le undici di sera, sconosciuti hanno esploso tre proiettili di fucile calibro dodici presso la mia finestra, mandando in frantumi i vetri.

Pubblico Ministero: Quindi i proiettili sono entrati in casa?

Teste: Sì, ma era evidente che avevano sparato alto, solo per spaventare, non per altro.

Pubblico Ministero: Prima di questo gesto intimidatorio, lei aveva ricevuto richieste telefoniche?

Teste: Mai.

Pubblico Ministero: E dopo questo gesto?

Teste: Dopo questo gesto, dopo alcuni giorni ricevetti una telefonata, non alla mia utenza: siccome sotto di me abita mio padre, all'utenza di mio padre. Si capì bene che evidentemente erano gli autori della cosa.

Pubblico Ministero: Che cosa dicevano?

Teste: C'era qualcuno che parlava abbastanza bene italiano, ma con un accento non delle nostre parti. Dissero che quello era stato un avvertimento. Infatti, ah mi ero dimenticato, infatti quando ci fu l'attentato avevano lasciato due proiettili inesplosi. E insomma nella telefonata dissero che erano destinati a me se non avessi pagato quell'estorsione. Dissero che loro dovevano tutelare anche chi era in carcere, nel senso che avevano bisogno di soldi per darli a questa gente.

Pubblico Ministero: Successivamente ha ricevuto altre telefonate?

Teste: Sì, diverse altre telefonate. Io intanto avevo avvertito i carabinieri che mi consigliarono di farli parlare il più a lungo possibile per cercare di capirne di più. Io pensavo che la mia utenza fosse sotto controllo e comunque ho provveduto io stesso a fare due registrazioni che ho consegnato puntualmente ai carabinieri. Non so se ci fosse una intercettazione ma io ho subito collaborato... ho sempre collaborato.

Pubblico Ministero: Facciamo un passo indietro. Subito dopo l'attentato lei si è rivolto a qualcuno per cercare di capire cosa stesse succedendo?

Teste: Noi ricevemmo, cioè io contattai... perché c'era un'amicizia d'infanzia con mio fratello, il signor Perotta [nome convenzionale], chiesi a Perotta.

Pubblico Ministero: Perché si è rivolto proprio a Perotta?

Teste: Ma non è che mi sono rivolto proprio a Perotta, io chiesi... domandai anche ad altri, in giro...

Pubblico Ministero: Può dirci a chi altro lei si è rivolto?

Teste: Adesso come faccio... sono passati cinque anni... ho chiesto in giro.

Pubblico Ministero: L'unico nome che ricorda è quello di Perotta?

Teste: ... che non fece niente. Lui dopo uno o due giorni mi disse che l'azione poteva provenire da certa gente di fuori e devo precisare che mi disse testualmente che di questa storia non voleva assolutamente saperne, non voleva averci niente a che fare.

Pubblico Ministero: Lei che ha sempre collaborato, come ha detto prima, riferì ai carabinieri di quanto dettole dal Perotta?

Teste: E cosa mi aveva detto? Non mi aveva detto niente.

Pubblico Ministero: Disse ai carabinieri di avere avuto un abboccamento con Perotta?

Teste: No.

Pubblico Ministero: Torniamo al punto in cui ci eravamo fermati un attimo prima. Lei ha parlato di una serie di telefonate estorsive.

Teste: Sì.

Pubblico Ministero: L'esito delle telefonate e in generale delle intimidazioni da lei subite quale è stato? Lei ha pagato? E se sì con quali modalità?

Teste: Io ho ricevuto queste telefonate, alcune a casa, altre in ufficio, alcune sono state prese dal geometra mio collaboratore, anche lui disse che sembrava proprio gente di fuori...

Pubblico Ministero: Mi scusi. Volevo sapere se lei ha ceduto alle pretese estorsive, insomma se ha pagato.

Teste: Io non ho pagato.

Pubblico Ministero: In questa vicenda, dopo l'incontro di cui lei ci ha parlato con il Perotta, ci sono stati altri interventi di questo signore?

Teste: No.

Pubblico Ministero: A un certo punto le telefonate estorsive sono cessate?

Teste: Sì.

Pubblico Ministero: Ha subìto altri attentati?

Teste: No.

Pubblico Ministero: Lei conosce il motivo per cui le minacce e le richieste sono cessate?

Teste: No.

Pubblico Ministero: Lei ricorda di avere stipulato un preliminare di vendita di due appartamenti in Borgofelice con i signori Manzella e Terzi [nomi convenzionali], coimputati in questo processo insieme al Perotta per l'estorsione in suo danno?

Teste: Sì.

Pubblico Ministero: Si trattò di normali contratti?

Teste: Sì.

Pubblico Ministero: Chi le presentò questi signori?

Teste: Perotta.

Pubblico Ministero: Pagarono regolarmente all'atto del compromesso? Pagarono tutto?

Teste: Feci un piccolo sconto, uno sconto normale.

Pubblico Ministero: Piccolo quanto?

Teste: Cinque milioni ciascuno.

Pubblico Ministero: Presidente, a questo punto devo fare una contestazione anzi una serie di contestazioni perché il teste in questa sede sta rendendo dichiarazioni integralmente difformi da quelle rese al pubblico ministero durante le indagini preliminari. Si tratta del verbale di assunzione di informazioni in data 4 novembre 1992.

Presidente: Prego.

Pubblico Ministero: Rispondendo a specifica domanda del pubblico ministero l'ingegnere Rossi dichiara:

«Effettivamente il Perotta mi disse che si trattava di gente pericolosa del capoluogo, disse che erano persone che avevano influenza anche sui criminali locali e che potevamo pertanto far cessare ogni pretesa estorsiva in mio danno...».

Teste: Questo... cioè che mi disse che era gente malavitosa, che erano suoi amici, che bisognava eventualmente trattarli bene sì; ma quel discorso là... di far cessare non c'entra... cioè io personalmente non vedo il nesso fra quello che mi è successo prima e quello di dopo.

Pubblico Ministero: Lei questa cosa l'ha detta, sì o no?

Teste: Io quella sera... diciamo... molte cose non so nemmeno che cosa effettivamente ho detto; per questo sono qua, per precisare.

Pubblico Ministero: Lei non sa quello che ha detto?

Teste: Nel senso che... praticamente... che alcune cose non sono effettivamente rispondenti...

Pubblico Ministero: Siamo qui per chiarirlo, no?

Teste: Esatto.

Pubblico Ministero: A fini di chiarezza dunque io torno a chiederle se queste cose le ha dette o non le ha dette.

Teste: Potrei anche averle dette.

Pubblico Ministero: Voglio dunque chiederle se nel caso di specie si trattò di una normale vendita o di un modo di pagare l'estorsione.

Teste: Per me si trattò di una normale vendita.

Pubblico Ministero: Contestazione, presidente; qualche rigo più sotto, nel verbale citato prima: «... in sostanza la vendita degli appartamenti fu un modo di pagare l'estorsione».

Teste: Io quella sera, sarà per la stanchezza, sarà per come andarono le cose, forse avrò detto qualche cosa, ma io posso ripristinare sulla base di documenti, presidente.

Pubblico Ministero: Cosa ripristina, scusi?

Teste: Cioè dire esattamente come sono andate le cose.

Pubblico Ministero: Mi scusi, questa frase qui: «… in sostanza la vendita degli appartamenti fu un modo di pagare l'estorsione», lei l'ha detta o non l'ha detta?

Teste: Può darsi che l'ho detta.

Pubblico Ministero: Queste cose che lei dice: «può darsi che le ho dette», le ha riferite subito e spontaneamente al pubblico ministero o no?

Teste: Non le ho dette subito.

Pubblico Ministero: E perché?[1]

Teste: Io non le ho dette subito perché, praticamente… insomma io chiesi al dottore qua di consultare la mia contabilità perché ricordavo di avere fatto uno sconto a questa gente, uno sconto che forse era un po' di più di quello che era il normale, ma che alla fine dei conti ricordavo che mi avevano pagato, mi avevano dato degli effetti anche se poi gli effetti non furono nemmeno pagati…

Pubblico Ministero: Mi scusi se la interrompo. Io le ho chiesto perché non ha riferito subito queste circostanze; lei adesso mi dice: non le ho riferite perché non le ricordavo. Ho capito bene?

Teste: Certo.

Pubblico Ministero: Allora ho una contestazione. A pagina tre del verbale suddetto vi è un ammonimento del pubblico ministero a dire la verità rivolto al Rossi. Dò lettura del verbale che segue: «Il Rossi esita lungamente prima di rispondere dicendo: "Sto cercando di fare uno sforzo per ricordare". Dopo di che fissa lungamente il vuoto e successivamente abbassa lo sguardo. Dopo circa dieci minuti nel corso dei quali il Rossi viene ripetutamente sollecitato a dire la verità, questi dichiara: "... Perotta c'era... non ho riferito della sua presenza a quell'incontro e non ho riferito esattamente le modalità di quell'incontro perché avevo paura... Perotta è quello che è"». Si ricorda di queste circostanze?

Teste: Ricordo che lei insistette, mi chiese se il Perotta a quell'incontro era presente o meno.

Pubblico Ministero: Adesso non parliamo specificamente dell'incontro, ne parleremo dopo nel dettaglio. Lei ci ha detto poco fa che certe cose non le ha riferite perché quando fu sentito dal pubblico ministero non aveva i documenti e non si ricordava.

Teste: Certo.

Pubblico Ministero: Io invece le ho letto una frase, inserita in un contesto, nella quale lei dice di non aver riferito per paura. È vero o non è vero?

Teste: Veramente la cosa non fu proprio così, perché io fui messo di fronte... lei mi disse che un pentito aveva detto che io avevo pagato quell'estorsione...

Pubblico Ministero: Senta, la mia domanda è questa: lei ha detto di avere paura o no?

Avvocato: Opposizione, il pubblico ministero deve lasciar finire il teste.

Pubblico Ministero: Il teste deve rispondere alle domande che gli vengono rivolte. Quando lei condurrà il controesame gli chiederà quello che preferisce. Io voglio sapere se ha detto o no di avere paura.

Presidente: È a questa domanda che deve rispondere.

Pubblico Ministero: Ha detto così? Ha detto di avere paura o no?

Teste: Sì.

Pubblico Ministero: Ci racconti adesso la fase successiva a questa visita al cantiere. Ci parli della trattativa, delle modalità di pagamento eccetera.

omissis

Pubblico Ministero: In sostanza lei ci dice di avere ricevuto in pagamento cinquanta milioni per appartamento.

Teste: Lo posso anche precisare.

Pubblico Ministero: Vada avanti.

Teste: Quel giorno là che vennero a fare il compromesso [il preliminare] mi portarono un'unica mazzetta di soldi... era una mazzetta di venti milioni, quindi un acconto di dieci milioni per ciascun appartamento al compromesso.

Pubblico Ministero: Quindi lei, in quel contesto, ha ricevuto venti milioni in contanti?

Teste: Certamente.

Pubblico Ministero: Che ha incamerato.

Teste: Ho incamerato e ho la contabile. I versamenti del giorno dopo erano di sessanta milioni fra cui appunto c'erano questi venti. Ho portato con me la contabile.

Pubblico Ministero: Contestazione. Ho già contestato una frase che ora ripeto perché è collegata a quanto sto per leggere. «In sostanza la vendita degli appartamenti fu un modo per pagare l'estorsione». A successiva e immediata domanda Rossi risponde: «In primo luogo io restituii i dieci milioni di acconto; in questo senso mi ero accordato con Perotta prima dell'incontro per la stipula del preliminare». A successiva domanda del pubblico ministero: «Decidemmo di adottare questo espediente perché io non volevo far vedere ai miei familiari che mi ero deciso a cedere alle pretese estorsive; in sostanza mi vergognavo molto come mi vergogno adesso. In pratica la mazzetta di contanti serviva perché chiunque fosse entrato nella mia stanza nel corso della stipulazione potesse vedere che si trattava di una operazione regolare. In particolare rammento che nella stanza si affacciò mio fratello che ha certamente visto la mazzetta di banconote che era sulla mia scrivania». A successiva domanda il Rossi risponde: «Io non ho nemmeno intascato la suddetta mazzetta di banconote; voglio dire che essa rimase sulla mia scrivania fino alla fine della stipulazione. Quando finimmo, qualcuno, non ricordo chi, la mise in tasca e poi quelli se ne andarono». Allora?

Teste: Io ricordo di avere fatto questo sconto dei cinque milioni cadauno...

Pubblico Ministero: No, mi scusi, queste dichiarazioni?

Teste: Queste dichiarazioni... là per là io non ricordavo esattamente come fosse andata la cosa.

Pubblico Ministero: Quindi non ricordando ha detto di avere restituito quei soldi?

Teste: E infatti ripeto...

Pubblico Ministero: Lasci stare; parliamo di quello che lei ha detto in quell'occasione.

Teste: Non ricordo...

Pubblico Ministero: Possiamo dare atto a verbale delle esitazioni del teste?

Presidente: Si dà atto che il teste esita a rispondere alle domande e alle contestazioni del pubblico ministero. [rivolto al teste] Lei può dare una risposta al riguardo?

Teste: La risposta al riguardo mi sembrava di averla accennata. Quella sera comunque, quando fui interrogato, a un certo punto non capivo più niente.

Pubblico Ministero: Quindi lei ha detto queste cose perché non ha capito più niente?

Teste: Certo.

Pubblico Ministero: Quindi lei ci conferma di averle dette, ma contesta che siano vere?

Teste: ... lei mi contestò certe cose... il pentito... cioè c'erano delle cose che non volevo dire, io a quel punto là non ho capito più niente.

Pubblico Ministero: Mi faccia vedere se ho capito bene io invece. Lei dice che ha detto queste cose perché in stato confusionale?

Teste: Certo.

omissis

Pubblico Ministero: Riepilogo quello che lei ci ha detto adesso. Dopo essere stato sentito dal pubblico ministero lei è andato a controllare la sua documentazione. Ha accertato così di essere stato regolarmente pagato, parte in contanti e parte con effetti, e di avere così detto cose non vere al pubblico ministero. Giusto?

Teste: Certo.

Pubblico Ministero: Inoltre, siccome questi signori, oggi imputati, avevano difficoltà a onorare le cambiali, avete in seguito deciso bonariamente di risolvere il contratto con una transazione. Giusto?

Teste: Certo.

Pubblico Ministero: La data della transazione?

Teste: La transazione è del 4 febbraio 1993.

Pubblico Ministero: Quindi la transazione è successiva a quando lei è stato interrogato dal pubblico ministero?[2]

Teste: Certo.

Pubblico Ministero: Tutti questi documenti, a parte la transazione che è successiva, quando è andato a riguardarli, precisamente? Subito dopo essere stato sentito dal pubblico ministero?

Teste: Subito, perché volevo ricostruire...

Pubblico Ministero: Subito dopo, il giorno dopo immagino?

Teste: Sì.

Pubblico Ministero: Quindi, quando lei ha preso visione di questi documenti, si è ricordato in modo più preciso la vicenda e quindi l'ha ricostruita nei termini in cui l'ha raccontata oggi, è giusto?

Teste: Certo.

Pubblico Ministero: Quindi lei si è reso conto che i fatti erano diversi da come li aveva raccontati al pubblico ministero?

Teste: Sì, che erano diversi, sì, però io dovevo ricordare esattamente...

Pubblico Ministero: Non dico i dettagli, mi scusi. Lei mi dice di essere andato a consultare la sua documentazione subito dopo essere stato sentito dal pubblico ministero. Voglio capire se lei si è reso conto della difformità fra la ricostruzione dei fatti che lei aveva verbalizzato e il ricordo evocato dalla consultazione dei documenti. In particolare con riferimento a un fatto di importanza decisiva, cioè quello relativo alla restituzione o meno dell'acconto.

Teste: Esatto.

Pubblico Ministero: Dunque lei si è reso conto di avere trattenuto quei soldi mentre invece davanti al pubblico ministero aveva detto di averli restituiti. È giusto questo?

Teste: Sì.

Pubblico Ministero: Allora io le chiedo: posto che lei si rende e si rendeva conto della gravità di queste dichiarazioni, perché non è andato subito dal pubblico ministero a dire: «i fatti sono diversi, ecco i documenti»?

Teste: Sinceramente ero tentato dal farlo.

Pubblico Ministero: Al di là delle tentazioni, ci dice perché non l'ha fatto?

Teste: Non l'ho fatto per... ecco per paura di non essere nuovamente creduto.

Pubblico Ministero: Oggi non ha paura?

Teste: Oggi ho dei documenti.

Pubblico Ministero: Ma li aveva anche allora i documenti?

Teste: Certo.

Pubblico Ministero: Se il motivo per cui lei ci dice di non aver paura oggi è il fatto di avere dei documenti, posto che anche allora li aveva questi documenti non c'era motivo di avere paura nemmeno allora. È giusto o no?

Teste: Sì, io di quella dichiarazione però ho avuto modo di farne copia.

Pubblico Ministero: Di quale dichiarazione ha fatto copia? Lei ha fatto copia del suo verbale? E ci dica, quando e come?

Teste: Questo sarà successo... adesso che c'è stata l'apertura del processo.

Pubblico Ministero: E come mai ne ha fatto copia?

Teste: Proprio per sapere, perché io non ricordavo esattamente...

Pubblico Ministero: Lei si è presentato in cancelleria e ne ha fatto copia?

Teste: No.

Pubblico Ministero: Chi ha fatto la copia?

Teste: L'ha fatta il mio avvocato, penso.

Pubblico Ministero: Quindi lei ha un avvocato.

Teste: Ne ho tanti di avvocati.

Pubblico Ministero: Chi ha fatto questa copia?

Teste: Probabilmente l'avvocato Valletta [nome convenzionale].

Pubblico Ministero: Probabilmente?

Teste: Sì.

Pubblico Ministero: Quindi lei ha detto all'avvocato Valletta che voleva copia di queste dichiarazioni per rileggersele, e poi se le è rilette.

Teste: Certo.

Pubblico Ministero: Lei sa che quando si fa una richiesta di copia si mette nome e cognome e agli atti deve risultare questa richiesta. Quindi se noi andiamo a controllare gli atti sicuramente troviamo questa richiesta dell'avvocato Valletta.

Teste: Dottore non mi faccia dire cose... io ho avuto una copia.

Pubblico Ministero: Da chi l'ha avuta questa copia?

Teste: Io ho avuto una copia e basta.

Pubblico Ministero: Da chi? Chi le ha dato la copia? Possiamo dare atto che il teste esita?

Presidente: Si dà atto che il teste esita a dare una risposta al riguardo.

Teste: Questo non glielo so dire.

Pubblico Ministero: Non mi sa dire chi le ha dato la copia?

Teste: No.

Esami del tipo di quello sopra riportato sono appunto frequenti nei processi per fatti di criminalità organizzata. È a situazioni di questo genere che certamente pensava il legislatore nell'elaborare una norma (l'art. 500 comma IV del codice di procedura penale) che attribuisce il valore di prova piena alle dichiarazioni utilizzate per le contestazioni ogniqualvolta, «anche per le circostanze emerse nel dibattimento», risultino indebite sollecitazioni al teste e, dunque, situazioni che abbiano compromesso la genuinità dell'esame.

Il contenuto di questa disposizione evidenzia come lo strumento ordinario per contrastare il contegno del teste rivelatosi, nel corso dell'esame diretto, oggettivamente (ma in molti casi anche soggettivamente) ostile alla parte che lo ha introdotto sia costituito dalla contestazione delle dichiarazioni in precedenza rese dal testimone stesso e contenute nel fascicolo del pubblico ministero.[3]

Spesso però lo strumento della contestazione si rivela insufficiente a far emergere le ragioni del contegno ostile del testimone e, in generale, le situazioni che hanno compromesso la genuinità dell'esame.

Il verbale riportato in questo capitolo dimostra tale affermazione. È evidente infatti che l'esito probatorio dell'esame in questione sarebbe stato assai meno ricco e significativo laddove il pubblico ministero si fosse limitato alle domande strettamente pertinenti all'imputazione e alle successive, necessarie contestazioni.

Sta di fatto invece che l'esame si estende a una indagine sul contegno del teste-persona offesa, successivo all'audizione dinanzi al pubblico ministero e anteriore alla deposizione dibattimentale.

Sta di fatto, soprattutto, che l'efficacia di questo esame (che ha prodotto lo smascheramento di una vera e propria strategia di inquinamento processuale) è garantita dall'uso di domande tipicamente suggestive[4] che il presidente, applicando lo spirito piuttosto che la lettera della norma, ha opportunamente consentito.

10
Credibilità

L'ideale per ogni pubblico ministero o avvocato che intenda svolgere al meglio il proprio compito sarebbe disporre di un profilo psicologico del teste da controesaminare, magari redatto da un esperto, sul quale basare l'impostazione della più corretta e utile strategia di interazione con il testimone. Ciò non è evidentemente possibile se non in casi eccezionali, non solo e non tanto perché le parti non dispongono abitualmente di esperti del comportamento umano[1] da cui farsi assistere, ma perché, di regola, il controesame ha luogo subito dopo l'esame diretto.

L'esigenza di avere una idea della personalità del testimone (della parte privata, e anche del consulente) per impostare con efficacia il controesame si scontra dunque con le concrete e peraltro fisiologiche circostanze nelle quali il controesame stesso si svolge. È vero del resto che non sempre tale esigenza si presenta in termini pressanti e decisivi e anzi la più gran parte delle situazioni processuali non richiede impostazioni e approfondimenti sofisticati sul piano psicologico.

La necessità di avere un'idea della personalità del soggetto da controesaminare si presenta, in termini reali, non troppo frequentemente; in tali casi peraltro essa si scontra con i tempi e le scansioni del dibattimento penale ed è tenendo conto di tali tempi e scansioni che l'argomento va affrontato.

Esaminando un controesame finalizzato a smascherare un testimone verosimilmente falso e comunque del tutto inattendibile, abbiamo sottolineato nel secondo capitolo la necessità di inquadrare con la massima precisione possibile la personalità del soggetto da controesaminare. In tale prospettiva si segnalava in primo luogo l'esigenza di acquisire in via preventiva, nei limiti in cui ciò sia concretamente e lecitamente possibile, ogni informazione utile sul testimone o, in genere, sulla persona da controesaminare.

Abbiamo già ricordato anche la necessità di seguire con la massima attenzione lo svolgimento dell'esame diretto per cogliere ogni dettaglio (atteggiamento verso la situazione processuale, punti di forza, debolezze, modo di esprimersi del teste) dal quale trarre spunti utili per la migliore predisposizione del controesame.[2] Questo aspetto merita adesso qualche riflessione di approfondimento.

Se non va sottovalutato l'apporto che le acquisizioni della psicologia accademica possono fornire al lavoro dell'operatore giudiziario[3] occorre però tenere presente che le abilità richieste nel processo non coincidono con le competenze scientifiche.

Utilissimi spunti possono essere tratti certamente dagli studi teorici e sperimentali della psicologia, nella consapevolezza però della loro insufficienza a fornire coordinate esaurienti ed efficaci per l'azione dell'avvocato, del pubblico ministero, del giudice. Lo studio e l'utilizzazione della psicologia a fini forensi va dunque integrato con la percezione della specificità di ciascuna vicenda processuale, anche appunto sotto il profilo psicologico. Il sapere di chi agisce efficacemente nel processo, ed in particolare il sapere di chi agisce efficacemente nel processo in una prospettiva finalistica, vale a dire le parti, ha un carattere eminentemente pratico ed è, in definitiva, la combinazione di conoscenze eterogenee amalgamate fra loro da studio ed esperienza.

Su tali premesse si innestano i suggerimenti pratici che seguono. Essi non hanno alcuna pretesa di scientificità anche se tengono conto di alcune acquisizioni della psicologia sperimentale.

La capacità di tratteggiare rapidi profili dei testimoni, utili per condurre controesami efficaci, presuppone la comprensione del concetto di *credibilità* di un teste.

La credibilità non ha tanto a che fare con la verità quanto con le percezioni individuali. Con efficace espressione è stato chiarito che lo studio della credibilità si identifica con lo studio di come la gente «giudica i libri dalle loro copertine».[4] In sostanza il grado di credibilità di un teste è relativamente indipendente dalla veridicità di quanto egli riferisce, perché è possibile che cose vere vengano riferite in modo non credibile e che cose non vere in tutto o in parte siano riferite con apparenza di credibilità.

Per impostare adeguatamente la strategia di un controesame sarebbe in primo luogo necessario sapere se, e soprattutto in che misura, il teste dica la verità. Da tale consapevolezza possono naturalmente discendere le indicazioni strategiche più importanti, anche in relazione ai diversi obblighi deontologici gravanti sulle parti processuali. Per intenderci con un esempio: a fronte di un teste della difesa che dica sostanzialmente la verità, gli spazi deontologicamente ammissibili per il controesame del pubblico ministero che sia consapevole della veridicità della testimonianza saranno molto circoscritti.

Non sempre però a una parte processuale è dato sapere con certezza se il teste di controparte (ma a volte anche il suo) dica, o in che misura dica, la verità. In ogni caso, poi, anche la consapevolezza della non veridicità, totale o parziale, della deposizione resa in sede di esame diretto può non essere utile a definire un piano adeguato per attenuare o rimuovere gli effetti processuali della deposizione stessa.

È allora necessario occuparsi, per definire la strategia di controesame, più che della verità o della sincerità delle dichiarazioni, della credibilità del dichiarante; essa va valutata alla luce di una serie di indicatori empirici di rapida riconoscibilità.

Occorre comunque evidenziare che parlando di tali indicatori non ci si riferisce agli indizi rivelatori della menzogna o della sincerità (indizi intorno alla cui affidabilità sussistono serissimi dubbi),[5] quanto piuttosto ai dati cui di norma gli osservatori (a torto o a ragione) ricollegano il loro giudizio sulla attendibilità di un dichiarante.

In linea di massima, vengono percepiti positivamente (e quindi tendenzialmente creduti) quei soggetti che:

– *siano di aspetto gradevole o comunque curato senza essere lezioso;*

– *appaiano rilassati ed estroversi senza essere scomposti;*

– *manifestino un atteggiamento spontaneo, aperto e diretto (e che in tal modo rispondano alle domande che sono loro rivolte);*

– *si mostrino indulgenti e interessati al prossimo;*

– *non siano inclini alla lamentela e all'autocompatimento;*

– *manifestino atteggiamento positivo, attenzione e spirito di collaborazione.*

Generano al contrario impressioni decisamente negative (con riverbero immediato sulla credibilità delle relative narrazioni) coloro i quali:

– *appaiano reticenti o comunque indiretti e tortuosi nel rispondere alle domande;*

– *appaiano artefatti o comunque affettati nei modi e nell'eloquio;*

– *mostrino un atteggiamento arrogante, di prevaricazione o comunque polemico;*

– *manifestino tendenza alla vanteria e all'esagerazione;*

– *appaiano vendicativi o comunque animati da spirito di rivalsa;*

– mostrino una tendenza alla lamentela e all'autocompatimento.

Queste caratteristiche, qui illustrate in modo esemplificativo, possono essere individuate prestando attenzione consapevole al modo in cui il teste si presenta, al modo in cui interagisce non verbalmente con i suoi interlocutori nel processo, al modo in cui parla (tono e ritmo della voce) e articola la sua narrazione.

In particolare dunque bisognerà osservare e, se possibile, riportare sinteticamente le proprie osservazioni su appunti:

L'aspetto esteriore del teste. Piaccia o non piaccia, in dati contesti l'uso di certi moduli di abbigliamento produce, indipendentemente dalle opinioni consapevoli degli osservatori, impressioni iniziali di minore o maggiore affidabilità. Tali impressioni non vanno certamente enfatizzate (essendo possibile e anzi frequente il caso che esse vengano rovesciate, in senso sia positivo che negativo, dal concreto contenuto delle deposizioni), ma di esse bisogna tenere conto poiché sono il frutto di stereotipi sociali spesso discutibili, ma saldamente radicati.

Cercheremo di illustrare il concetto con un aneddoto e con un esempio.

Un giovane avvocato americano all'inizio della carriera difendeva, per un reato minore, un travestito di nome Pat. Il giorno prima del processo Pat si presentò allo studio dell'avvocato, per definire gli ultimi dettagli della strategia difensiva, indossando una minigonna ridottissima.

Il giovane avvocato gli disse: «Non è affar mio e, a scanso di equivoci, non sto esprimendo nessun giudizio, ma quello che indossi potrebbe non essere una tenuta adatta alla corte».

«Non sono mica scemo, non preoccuparti» rispose Pat.

Effettivamente il giorno dopo Pat si presentò in corte indossando un elegantissimo abito lungo da sera.[6]

Si pensi, lasciando da parte l'aneddotica nordamericana, ad un consulente tecnico in materia di alta specializzazione che si presenti a rendere le sue dichiarazioni dinanzi ad una corte di assise in tenuta da jogging. Un tale contegno verrà di regola percepito (indipendentemente dal fatto che a tale percezione corrisponda un reale connotato della personalità del soggetto) come sintomo di scarso interesse, se non addirittura di scarso rispetto, nei confronti dei suoi interlocutori in quella specifica e peculiare sede. È ovvio che una tale percezione potrà essere del tutto cancellata dal concreto svolgimento dell'esame, ove il consulente manifesti elevata competenza tecnica ed efficace capacità comunicativa. È un dato però che il flusso della comunicazione fra il consulente e i suoi interlocutori (parti e giudici) sarà reso inizialmente meno scorrevole dal fattore di disturbo costituito dall'abbigliamento del soggetto.

Il linguaggio non verbale del teste. Si tratta di un campo vastissimo e di eccezionale interesse, oggetto di numerosi trattati. Ancora una volta qui interessa non solo e non tanto l'effettivo significato di determinati indicatori, quanto il modo in cui essi vengono percepiti e il significato che viene abitualmente a essi attribuito.

Ciò premesso è bene ricordare in estrema sintesi che colui il quale tende a evitare il contatto oculare con l'interlocutore è di norma percepito come persona poco schietta, evasiva, tendente ad occultare più che a rivelare quanto a sua conoscenza. Al contrario il soggetto che – senza sospette fissità oculari – sostenga serenamente lo sguardo di chi lo interroga comunica una forte sensazione di sincerità.

Chi, seduto al banco dei testimoni, assuma una posizione composta ma rilassata suggerisce una idea di consapevolezza e predispone l'uditorio a un favorevole giudizio sulla sua credibilità. Al contrario chi stia seduto sul bordo della sedia curvo, con il capo basso e quasi proteso in avanti in quella che dagli studiosi del linguaggio del corpo viene chiamata *posizione di fuga*, comunica un senso di insicurezza che facilmente si trasferisce sul contenuto delle sue dichiarazioni. Posizioni scomposte comunicano arroganza e scarsa considerazione per l'interlocutore: anch'esse dispongono sfavorevolmente l'uditorio.

Gesti involontari e ripetuti come mordersi le unghie, tormentarsi i lobi delle orecchie, toccarsi il viso o il naso, giocherellare con un piccolo oggetto sono generica espressione di nervosismo e possono essere indifferentemente indizio di menzogna o, semplicemente, sintomo dello stress dovuto alla testimonianza. Normalmente vengono però percepiti come segnali di sincerità scarsa e, comunque, ostacolano una comunicazione fluida incidendo in senso negativo sulla credibilità del dichiarante.

Il modo di parlare del teste. Un tono di voce elevato suggerisce l'idea di una persona che tenda a dominare o quanto meno a persuadere a tutti i costi l'interlocutore. Ciò non è normalmente associato a una idea di credibilità.

Parlare a bassa voce, del resto, produce uno speculare effetto negativo: l'impressione comune è che il soggetto abbia qualcosa da nascondere e in generale che per le più varie ragioni non dica tutta la verità.

Un ritmo dell'eloquio eccessivamente lento e frammentario se non è abitualmente associato all'idea della menzogna comunica però un senso di incertezza. Chi parli in questo modo dà una idea di scarsa competenza, e l'impressione di non essere bene a conoscenza delle cose su cui lo si interroga.

Chi parli troppo velocemente è percepito come persona che voglia ingannare l'interlocutore; inutile dire quindi che un eloquio troppo accelerato non migliora la credibilità di chi parla.

L'annotazione di tali indicatori e di tutti quelli che lo studio e l'esperienza consentano di individuare permette di farsi una idea consapevole, pur se sommaria, di come il teste, in sede di esame diretto, sia stato percepito dai giudici.

Ciò renderà più agevole articolare una adeguata strategia di controesame. Sarà possibile in particolare modulare la sequenza dell'interrogatorio in modo da cercare di indebolire l'effetto di credibilità generato dagli indicatori positivi o di rinforzare l'opposto effetto generato dagli indicatori negativi.

A margine di queste considerazioni occorre spendere qualche parola sulla questione, assai delicata, se sia ammissibile per una parte processuale preparare il proprio teste (o l'imputato, o il collaboratore di giustizia) per la migliore riuscita dell'esame dibattimentale.

Appena il caso di sottolineare che, quando si parla di preparazione del teste, non si allude a una predisposizione del contenuto della deposizione. Un simile contegno nel migliore dei casi costituirebbe, tanto per il pubblico ministero che per il difensore, illecito disciplinare; nel peggiore potrebbe integrare gli estremi di reati che vanno dal favoreggiamento al concorso in falsa testimonianza fino all'abuso d'ufficio.

La questione dell'ammissibilità deontologica di una preparazione del teste, del consulente, del collaboratore di giustizia si colloca dunque su un piano diverso da quello della predisposizione del contenuto della deposizione, da intendersi comunque vietato salvo – entro certi limiti – che per il caso dell'esame dell'imputato preparato dal difensore.

La questione è dunque se sia ammissibile, e in che misura, preparare il proprio testimone a rendere un esame diretto esauriente e convincente, e a reggere al successivo esame incrociato della controparte.

Si è detto che lo studio della credibilità si identifica con lo studio di come la gente «giudica i libri dalle loro copertine»; ci si chiede su questa base se sia ammissibile deontologicamente che una parte predisponga la «copertina» delle sue deposizioni, fermo restando che non le è consentito interferire sul contenuto del racconto avvolto da tale copertina.

Con alcune precisazioni riteniamo che tale opera di preparazione del teste (utilizziamo, per brevità, l'espressione teste per indicare anche le altre categorie di dichiaranti) sia pienamente ammissibile e anzi costituisca in molti casi un adempimento addirittura necessario.

Vediamo dunque in concreto, e oltre le enunciazioni di carattere generale, cosa può ritenersi ammissibile e cosa debba considerarsi vietato o comunque sconsigliabile, nella materia in argomento.

Il teste andrà in primo luogo istruito sulla necessità di attenersi alle domande che gli vengono rivolte, senza divagazioni o considerazioni personali; salvi naturalmente i casi in cui le considerazioni stesse siano inscindibili dalla deposizione sui fatti. Data tale premessa bisognerà richiedere al teste di limitarsi a rispondere alle domande in ragione delle sue conoscenze, senza modulare la risposta in base a quello che eventualmente ritenga l'interesse della parte che lo ha chiamato a deporre.

In altri e più banali termini: al teste bisognerà richiedere di dire solo la sua verità, senza preoccuparsi di valutare se, e in che misura, la risposta possa essere utile o dannosa. Ciò vale, inutile dirlo, tanto per l'esame diretto quanto per il controesame. In nessun caso sarà ammissibile, tanto per il pubblico ministero quanto per il difensore, richiedere al teste di tacere informazioni in suo possesso a fronte di specifiche domande.

Sarà certamente ammissibile, per altro verso, spiegare al testimone il modo in cui la deposizione si svolgerà, indicandogliene l'oggetto e illustrandogli eventualmente come si articolerà la sequenza delle domande; non sarà ammissibile al contrario occuparsi delle risposte che si presume – o si desidera – vengano date alle domande.

Bisognerà poi chiarire al testimone come la sua credibilità presso i giudici dipenda non solo dalla veridicità delle sue dichiarazioni ma anche, in qualche misura, dal suo modo di presentarsi. In termini il più possibile comprensibili (e senza comunque che siano possibili equivoci sul fatto che in nessun modo si intende influenzare il contenuto della deposizione, ma solo il modo in cui essa verrà presentata al giudice) bisognerà dunque fornire al teste alcune istruzioni sul modo di presentarsi e di rispondere alle domande.

Per qualche suggerimento in ordine al contenuto di tali istruzioni è possibile prendere spunto da quanto si è illustrato nelle pagine che precedono, relativamente agli indici della credibilità.

Per esempio si può richiedere al testimone di adoperare, nelle sue risposte, un tono e un ritmo di voce intermedi, evitando il più possibile tanto leziosità verbali quanto espressioni di gergo. Gli verrà segnalata la necessità di non sovrapporre la sua voce a quella dell'esaminatore e, quindi, di attendere la fine della domanda per fornire la risposta. Gli si potrà chiedere di sedersi in modo composto ma rilassato, evitando, se possibile, di gesticolare. Gli verrà richiesto di rivolgere lo sguardo a chi lo stia interrogando, cercando di mantenere, senza fissità, il contatto oculare.

Per quanto riguarda specificamente il controesame occorrerà poi che il teste sia sensibilizzato sulla necessità di non entrare in polemica con il controesaminatore, di non cedere a eventuali provocazioni, di evitare discussioni o risse verbali. Ciò sarà tanto più importante quanto più significativo si prevede che sia l'apporto del dichiarante alla posizione processuale della parte che ne ha chiesto l'esame.

Abbiamo chiarito in precedenza che il buon controesaminatore, per ragioni di stile e di efficacia, evita di entrare in conflitto diretto con il testimone, anche nei casi di controinterrogatori di impronta marcatamente distruttiva. Una regola analoga e speculare vale anche per il buon testimone. Di fronte ad attacchi diretti e violenti, di fronte a eventuali insinuazioni o addirittura di fronte ad atteggiamenti offensivi, il teste dovrà essere pronto a comportarsi con tranquillità e compostezza. Un testimone che perda la calma a seguito di eventuali provocazioni può sminuire la forza persuasiva delle sue dichiarazioni precedenti; al contrario, il teste che risponda serenamente a un controinterrogatorio aggressivo o addirittura scomposto rinforzerà la credibilità della sua deposizione, esponendo altresì l'interrogante a una perdita di credibilità personale, con conseguente riduzione o elisione delle sue possibilità di incidere persuasivamente sul convincimento di chi dovrà giudicare. Per ulteriori approfondimenti sul tema degli esami dibattimentali intesi (anche) come strumento per dirigere al giudice messaggi persuasivi si veda comunque il prossimo capitolo, specificamente dedicato all'argomento.

Al teste occorrerà poi spiegare come evitare eventuali tranelli segnalandogli la necessità di richiedere all'esaminatore la riproposizione della domanda ogniqualvolta essa appaia poco chiara e/o sembri celare un significato diverso da quello evidente a prima vista.

Sarà opportuno infine spiegare al teste il funzionamento della deposizione sotto il profilo del contraddittorio fra le parti, chiarendogli che ogniqualvolta venga formulata una opposizione a una domanda, egli dovrà rispondere solo dopo la eventuale decisione ammissiva del presidente.

11
Interrogare e persuadere

La riflessione fin qui condotta si è concentrata principalmente su una delle interazioni che caratterizzano la vicenda processuale: quella fra chi pone le domande e chi, con le sue risposte, contribuisce alla formazione del materiale conoscitivo su cui si baserà la decisione della controversia.

La vicenda processuale è però caratterizzata da una molteplicità di interazioni soggettive e momenti di comunicazione. Lo studio analitico di tali interazioni e di tali momenti costituisce una parte importante della psicologia giuridica.[1]

Ai fini di questa trattazione ed in particolare allo scopo di approfondire la riflessione sul tema del controesame, sarà sufficiente individuare i momenti più significativi di interazione personale nell'ambito della vicenda complessa del processo penale.

Abbiamo in primo luogo quella che potremmo definire *interazione esplicativa*. Essa intercorre fra le parti (pubblico ministero e avvocati) e il giudice (individuale o collettivo che sia) in un momento precedente alla formazione della prova orale utilizzabile ai fini della decisione e ha luogo nella fase dell'esposizione introduttiva dei fatti e nella formulazione delle richieste di prova.

Abbiamo in secondo luogo quella che potremmo definire *interazione interrogativa*. Essa è caratteristica delle audizioni dibattimentali e intercorre direttamente fra le parti interroganti e i soggetti che forniscono il loro apporto di conoscenze per la formazione del materiale utile alla decisione.

Abbiamo in terzo luogo l'*interazione argomentativa* caratteristica soprattutto della discussione finale. Essa intercorre fra avvocati (intendendo come tale, in questa fase, anche il pubblico ministero) e giudice ed è caratterizzata da quella che potremmo definire la *funzione persuasiva*.

Questo schema ha un valore essenzialmente classificatorio e mette a fuoco la funzione preminente di ciascuna delle tre fasi indicate. L'utilità classificatoria dello schema non deve però far perdere di vista il dispiegarsi concreto della vicenda processuale nei cui diversi passaggi si intrecciano e si sovrappongono momenti conoscitivi, esplicativi e argomentativi. In particolare la funzione esplicativa e la funzione persuasiva percorrono l'intero arco della vicenda dibattimentale, partendo dall'esposizione introduttiva, proseguendo con la fase istruttoria per giungere al momento prevalentemente caratterizzato dalla persuasività, vale a dire quello delle argomentazioni conclusive.

Lo scopo di questo capitolo è di considerare gli esami dibattimentali non come interazioni conoscitive fra interrogante e interrogato, ma come interazioni esplicative e persuasive fra interrogante e giudici. Spunti in questo senso sono già emersi nel corso della trattazione.[2] Occorre adesso mettere a fuoco tali spunti ed articolarli, pur se sinteticamente, in una riflessione organica.

È stato sottolineato opportunamente che nel nuovo sistema processuale le parti «dibattono ed argomentano (istruzione dibattimentale vuol dire anche questo) con le rispettive prove molto più che attraverso la discussione finale».[3]

L'affermazione appare corretta ove si tenga conto delle facoltà, attribuite alle parti, di decidere quali mezzi di prova richiedere, di stabilire in quale successione assumere le prove orali e, soprattutto, di articolare il modo di assunzione di tali prove orali in prospettiva strategica.

Su tali basi è possibile leggere il complesso delle scelte strategiche dibattimentali come espressione della funzione argomentativa immanente all'intero processo, considerato dall'angolo visuale delle parti.

In altri termini l'intero processo può essere considerato come un'unica struttura argomentativa complessa ma unitaria; come un apparato in cui, fornendo informazioni ed evocando conoscenze, le parti procedono in un percorso persuasivo che culmina nella fase esplicitamente argomentativa della discussione finale.

Il processo penale ha in definitiva una generale dimensione retorica. Una simile affermazione richiede l'esplicitazione di alcuni concetti.

La retorica, nella moderna accezione del termine, è la disciplina che si occupa della argomentazione sia dal punto di vista della riflessione teorica che dal punto di vista delle applicazioni pratiche. Tale disciplina, avuto riguardo al suo statuto epistemologico si identifica con la teoria della argomentazione la quale, in sostanza, ha il suo oggetto di studio nei mezzi di prova non dimostrativi cioè i mezzi di prova tipici di scienze dell'uomo quali il diritto, l'etica, la filosofia.

La dimostrazione costituisce lo strumento per l'affermazione delle verità formali, tipiche di discipline come la matematica, la geometria, la logica formale. La dimostrazione è in sostanza l'operazione intellettuale che da premesse postulate giunge ad affermazioni inconfutabili.

L'argomentazione costituisce invece lo strumento per pervenire alla verità (*approssimativa*[4] in senso popperiano) di scienze umane, di discipline storiche ed in particolare alla verità processuale che è appunto una verità di tipo storico. L'argomentazione è in sostanza l'operazione intellettuale che da premesse empiriche conduce a conclusioni persuasive ed accettabili.

Una importante conseguenza di questa distinzione è che il ragionamento dimostrativo – conducendo a conclusioni necessarie – vale indipendentemente dalle persone cui è rivolto; il ragionamento persuasivo – dovendo esso condurre a conclusioni accettabili – vale solo in riferimento a un determinato uditorio inteso come «l'insieme di coloro sui quali l'oratore vuole influire per mezzo della sua argomentazione».[5]

Chiunque faccia uso dell'argomentazione pensa, in modo più o meno consapevole, a coloro che cerca di persuadere e che costituiscono l'uditorio cui i suoi argomenti sono indirizzati. Gli argomenti quindi, a differenza delle prove dimostrative, variano in funzione dei relativi destinatari; dei soggetti, cioè, nei confronti dei quali si vuole che operi il meccanismo della persuasione.

Norberto Bobbio, nella prefazione alla più celebre e completa opera moderna sulla retorica – il *Trattato dell'argomentazione* di Perelman e Tyteca – definisce la teoria dell'argomentazione «come la teoria delle prove razionali non dimostrative, ed in modo ancor più pregnante, come la logica (qui usando il termine logica[6] in senso ampio) delle scienze non dimostrative».[7]

Si tratta di un sistema logico che non si occupa di dimostrazioni (vale a dire di passaggi regolati dal principio di necessità da premesse assiomatiche a conclusioni necessarie) ma di prove non dimostrative, e il cui scopo è quello di condurre, per quanto interessa la sua applicazione al processo, alla individuazione di verità accettabili nella prospettiva dell'adozione di decisioni preferibili.

In tale quadro di riferimento concettuale va collocata la riflessione sulla pratica dell'argomentazione nell'arco di tutto il processo e non solo nelle fasi, in particolare quella delle conclusioni, esplicitamente connotate dalla funzione persuasiva.

Si argomenta infatti, naturalmente, con il discorso direttamente rivolto all'uditorio rispetto al quale si vuol realizzare il risultato persuasivo. Si argomenta anche però, nel processo come in altri contesti, con comportamenti non verbali e con interazioni discorsive (appunto le audizioni dibattimentali) non direttamente intercorrenti fra chi mira ad ottenere il risultato persuasivo ed il suo uditorio.

In altri termini: fondamentali operazioni argomentative e persuasive nei confronti del giudice, possono essere svolte nel processo, oltre che con l'esposizione introduttiva e le conclusioni, con la scelta dei mezzi di prova, con la predisposizione della relativa assunzione e, soprattutto, con la strategia degli interrogatori, in essa includendo l'organizzazione della sequenza delle domande e i relativi modi di formulazione e di proposizione.

Tutti questi aspetti vanno articolati consapevolmente nel quadro di un apparato argomentativo di tipo modulare, nel cui ambito i vari passaggi siano strutturati armonicamente in prospettiva del conseguimento del risultato finale di convincimento dell'uditorio.

In sostanza dunque la corretta pratica del processo penale vigente implica l'articolazione di un complessivo discorso (intendendosi la nozione di discorso in senso ampio, siccome comprensiva anche di momenti di comunicazione non verbali o comunque indiretti) argomentativo che parta dalla esposizione introduttiva, proceda senza soluzione di continuità lungo tutto l'arco dell'acquisizione probatoria e trovi il suo momento di conclusione e sintesi nelle perorazioni finali: requisitoria e arringhe.

In questo senso il processo penale di impronta accusatoria ha una generale impostazione retorica.

Senza una precisa consapevolezza di tale dimensione retorica, nell'accezione appena chiarita, dell'intero processo penale non è possibile ricoprire con efficacia e correttezza il ruolo di protagonista della vicenda dibattimentale.

La relazione che si crea nel corso di una audizione dibattimentale ha struttura che si potrebbe definire triangolare. L'interrogante, quando propone le sue domande, si rivolge direttamente all'interrogato e indirettamente al giudice. A sua volta la risposta, se naturalmente viene recepita e registrata da chi conduce l'esame, ha come suo destinatario finale chi, ancora una volta il giudice, dovrà valutarla nel quadro complessivo delle acquisizioni processuali, ai fini di adottare una decisione sul merito della causa.

Quando si parla di domande e risposte si fa naturalmente riferimento in primo luogo al loro contenuto verbale. Uguale importanza hanno però, ai fini della definizione del messaggio e della sua decodificazione, numerosi altri fattori, dal linguaggio del corpo alla mimica facciale, al tono della voce e al ritmo dell'eloquio, fino al modo di vestirsi e in generale di presentarsi sul teatro processuale.

Sta di fatto comunque che gli impulsi di comunicazione attivati nel corso delle deposizioni dibattimentali non sono mai unidirezionali, indipendentemente dal fatto che i relativi protagonisti siano o meno consapevoli di ciò. Altro discorso naturalmente è quello relativo al tipo di percezione e comprensione (o di fraintendimento) dei suddetti impulsi di comunicazione, data la loro frequente, involontaria ambiguità.

L'argomento è già stato in parte affrontato nel precedente capitolo nell'ambito della riflessione sulla categoria della credibilità. Identificavamo lo studio della credibilità con lo studio di come la gente giudica i libri dalle loro copertine, sottolineando come il grado di credibilità di un teste sia relativamente indipendente dalla veridicità di quanto riferisce, essendo possibile che cose non vere vengano narrate in modo altamente credibile e viceversa.

Per analizzare, comprendere e praticare con efficacia la funzione persuasiva delle escussioni dibattimentali va sviluppato un discorso in qualche misura analogo rispetto non più ai testi ma agli interroganti.

Si tratta in definitiva di occuparci non più della credibilità del teste, ma di una entità complessa che potremmo definire con una piccola, deliberata forzatura *la credibilità* dell'avvocato o del pubblico ministero.

Entità complessa perché costituisce la risultante di diversi fattori tra i quali fondamentale, ai fini che qui ci interessano, è la capacità di inviare messaggi coerenti, comprensibili e, in sostanza, persuasivi sia nelle interazioni dirette che nelle interazioni indirette, come è appunto quella con il giudice nel corso degli esami dibattimentali.

In cosa si manifesta dunque la capacità di veicolare messaggi persuasivi? Il discorso è naturalmente di eccezionale complessità ed è possibile in questa sede tracciarne solo le coordinate generali.

Si rammenti in proposito quello che abbiamo detto sulla differenza fra logica dimostrativa e logica argomentativa.

Il ragionamento dimostrativo vale indipendentemente dalle persone cui è rivolto; il ragionamento persuasivo invece (sia esso diretto come nell'arringa o nella requisitoria, o indiretto come nel caso delle audizioni dibattimentali) vale solo in riferimento a un uditorio determinato. Gli argomenti quindi, a differenza delle prove dimostrative, debbono tendenzialmente adattarsi al pubblico cui sono destinati.

I messaggi sono tanto più comprensibili, e quindi tanto più dotati di forza persuasiva, quanto più l'ascoltatore è in grado di inserirli in un suo autonomo quadro di conoscenze ed informazioni. Perciò, tanto più efficace sarà l'azione persuasiva quanto più ci saranno note le caratteristiche del nostro uditorio, vale a dire la personalità dei giudici. Quanto più, quindi, saremo in grado di adattare il nostro messaggio alle sensibilità e alle stesse capacità di contestualizzazione e comprensione di tale uditorio, tanto più riusciremo ad orientarne correttamente le decisioni.

Ciò vale soprattutto per le corti di assise a composizione mista, togata e popolare, ma non solo.

Nel processo penale angloamericano – il *jury trial* – esiste una fondamentale fase preliminare consistente nella scelta dei giurati. Accusa e difesa passano a volte intere udienze a selezionare i membri della futura giuria, con reciproco diritto di veto sui soggetti che ritengano caratterizzati da possibili pregiudizi sull'oggetto della causa. L'attività di selezione si svolge con interviste spesso penetranti sulla personalità, sull'attività professionale, sui gusti e le attitudini dei giurati potenziali. Quando la giuria è finalmente composta, gli avvocati dell'accusa e della difesa conoscono (o dovrebbero conoscere) coloro che pronunceranno il verdetto. Di tale conoscenza possono servirsi per la strategia e per la tattica da adottare nell'istruttoria dibattimentale e nell'illustrazione persuasiva delle conclusioni.

Tutto questo non esiste nel nostro sistema ma ciò non significa che l'esigenza di conoscere i giudici non sia altrettanto importante, anche se, di fatto, essa è quasi completamente trascurata tanto dall'accusa che dalla difesa.

Riferendoci in particolare alle corti di assise – essendo pacifico che non ci si può lecitamente dedicare ad indagini sulla vita privata dei giudici popolari – è possibile formulare qualche consiglio minimale:

– Informarsi all'inizio del processo, presentandosi alla corte, sulla attività professionale, sul grado di istruzione e sulla condizione familiare dei giudici popolari.

– Seguire con la massima attenzione il comportamento dei giudici popolari nel corso delle esposizioni introduttive cercando di individuare i passaggi che hanno destato la maggiore attenzione e i momenti in cui, al contrario, l'attenzione sia apparsa scemata o assente.

– Seguire con la massima attenzione il comportamento dei giudici popolari nel corso dell'istruttoria dibattimentale; se cioè essi seguano attivamente l'acquisizione delle prove, se prendano appunti, se al contrario siano presenti distrattamente nel processo, se manifestino un atteggiamento di preferenza per l'una o per l'altra parte etc.

Un chiarimento è però indispensabile. La prospettiva di questi suggerimenti non è in alcun modo quella di manipolazioni, inammissibili, degli interlocutori. L'obiettivo invece è di conoscere il più possibile temperamento, atteggiamento e attitudini dell'uditorio per modulare nel modo più efficace i termini di un discorso persuasivo complesso (che si dipana per tutto l'arco del processo) che – è inutile dirlo – dovrà costituire il contributo dialettico all'adozione di decisioni corrette e non un'arma impropria per vincere i processi ad ogni costo.

Queste indicazioni valgono per i giudici popolari dei quali si è detto, ma anche – pur se naturalmente in termini diversi – per i giudici togati. Di essi è infatti necessario conoscere attitudini, impostazione culturale e orientamenti giurisprudenziali, allo scopo di articolare adeguatamente l'argomentazione indiretta delle audizioni e quella diretta delle conclusioni.

La conoscenza dell'uditorio è solo una delle basi per effettuare una comunicazione persuasiva.

Sapere a chi ci si rivolge con la propria argomentazione, diretta o indiretta che sia, non è infatti che un presupposto per modulare adeguatamente il discorso persuasivo.

Perché questa riflessione, pur nella sua sommarietà, abbia carattere di completezza occorre dunque soffermarsi su come definire il messaggio nel corso delle audizioni, in modo che esso giunga all'uditorio nei termini concepiti dall'interrogante, senza ambiguità derivanti da ostruzioni parziali o totali dei canali di comunicazione.

Molteplici sono i fattori dei quali occorre tenere conto perché le domande rivolte in sede di esame e di controesame siano comprese, oltre che, naturalmente, dall'interrogato, dal giudice, nel loro specifico contenuto e soprattutto nel quadro della loro collocazione strategica.

Anzitutto, è di norma necessario concepire domande di struttura sintattica non complessa, con un ricorso assai parsimonioso a proposizioni subordinate e recanti, nei limiti del possibile, il riferimento a un solo fatto o a un solo concetto.[8] Posto che naturalmente non si tratta di una regola di carattere assoluto (essa non opera infatti, per esempio, in tutti i casi in cui appaia opportuno consentire al dichiarante una narrazione libera), occorre tenere presente che l'articolazione degli esami a mezzo di domande agili dal punto di vista sintattico oltre che lessicale consente controllo dell'interrogato e modulazione flessibile del complessivo messaggio rivolto al giudice.

Nella medesima prospettiva si deve considerare l'importanza dell'uso strategico del ritmo dell'interrogatorio: il rapporto fra vuoti e pieni, fra parola e silenzio, nell'ambito delle singole domande e nella successione fra una domanda e l'altra.

È ben noto come la pausa sia uno strumento indispensabile nella tecnica di ogni interazione orale. Essa serve a far riflettere dopo l'esposizione di un concetto di particolare importanza o suggestione; serve a raccogliere l'attenzione nei momenti in cui essa, per stanchezza o per altro motivo si sia ridotta; serve a preparare il passaggio da una fase all'altra o l'affondo finale di una sequenza in crescendo.

Proprio la grande importanza della pausa suggerisce un uso intelligente e parsimonioso di tale strumento, tanto nel corso delle deposizioni, quanto nel corso delle discussioni finali. Come un momento di silenzio strategicamente collocato può consentire il passaggio più efficace di informazioni e concetti, così l'abuso delle pause (volontario, di chi ritenga così di comunicare di sé e del suo argomentare una immagine pensosa e autorevole; involontario, di chi, per insicurezza o per mancanza di preparazione, non riesca a dare ritmo e coerenza al suo parlare) attenua gravemente i livelli di attenzione, così incidendo negativamente sull'efficacia persuasiva degli argomenti.

Un esercizio utile per acquisire consapevolezza dei propri difetti e per migliorare la costruzione delle domande, il ritmo degli interrogatori e, in generale, la qualità della relativa comunicazione, consiste nella rilettura di propri esami e controesami in trascrizione integrale, concentrandosi non già sul contenuto delle risposte, come di solito si fa al momento di preparare le discussioni finali, ma sul modo in cui sono concepite le domande e la loro sequenza. Si tratta di una esperienza solitamente assai istruttiva e anche un po' sconcertante, la quale ci consente di scoprire errori e vizi retorici gravemente nocivi all'efficacia della comunicazione. Per quanto riguarda in particolare la costruzione delle domande, i difetti che si ravvisano con maggiore frequenza consistono nell'abuso, o comunque nell'uso improprio, di incisi, anacoluti, intercalari, espressioni gergali. È frequente altresì l'abuso delle frasi al passivo anche quando tale forma non sia strettamente indispensabile.

L'uso consapevole dello sguardo è un altro importante fattore per il successo della comunicazione e in particolare di una comunicazione indiretta come quella che corre tra l'interrogante ed il giudice nel corso degli esami dibattimentali.

Se di regola lo sguardo dovrà essere rivolto all'interrogato per mantenere vitale e fluido il rapporto sarà altresì opportuno cercare e utilizzare il contatto oculare allo scopo di mantenere o recuperare l'attenzione dei giudici; il contatto oculare sarà utilissimo inoltre per dialogare silenziosamente con i giudici, attirandone l'attenzione su passaggi decisivi dell'esame o del controesame.

Si pensi a un passaggio del controesame che abbia evidenziato una grave falla nell'attendibilità del dichiarante, o addirittura la sua menzogna. In tal caso effettuare una breve pausa, cercare il contatto oculare con i giudici e accompagnare, con un lieve movimento del capo, il loro sguardo sul dichiarante inattendibile o mendace costituisce l'efficace sottolineatura di un momento significativo che occorre venga ben ricordato. Una simile operazione, se ben attuata, consente di generare una sorta di intesa psicologica fra interrogante e giudice, utilissima per fissare nella memoria di quest'ultimo l'importanza del momento istruttorio, anche allo scopo di valorizzarlo in sede di discussione finale. Un giudice che abbia condiviso con l'esaminante una valutazione tacita su uno dei contenuti dell'esame, nel momento in cui tale contenuto sia venuto a esistenza, è il destinatario ideale di una argomentazione conclusiva che valorizzi adeguatamente un simile dato probatorio.

Si diceva poi dell'utilità del contatto oculare allo scopo di recuperare l'attenzione attenuata dell'uditorio. Il modo di procedere è sostanzialmente analogo a quello appena descritto ed è caratterizzato da un uso coordinato di sguardo e pause secondo una adeguata modulazione tattica.

Ci siamo occupati in questo capitolo di una fondamentale funzione strategica degli esami dibattimentali.

Si può quindi concludere questa riflessione provando a indicare una ideale figura di avvocato dibattimentale, nella quale ricomprendere – ferma restando la diversa modulazione degli obblighi deontologici – tanto i liberi professionisti quanto i magistrati del pubblico ministero.

Peter Megargee Brown individua dieci parametri fondamentali per valutare l'eccellenza di un *trial lawyer*:[9] approfondita comprensione della natura umana; chiarezza di pensiero e di presentazione; capacità di comunicare con concetti diretti, semplici e coerenti; capacità di rapido giudizio nel valutare qualunque cosa accada nel corso del processo, comportandosi di conseguenza; autodisciplina; capacità di comunicare un senso di autorità; contegno sempre cortese e dignitoso; personalità che consenta all'avvocato di esercitare influenza su chiunque entri in contatto con lui o con lei; attitudine quasi ossessiva per l'accuratezza della preparazione; totale indisponibilità all'uso di sotterfugi ed espedienti.[10]

È un decalogo pressoché perfetto. Esso può essere però arricchito di un undicesimo punto: la necessità, per avvocati, pubblici ministeri, ma naturalmente anche per i giudici, di una pratica costante e consapevole di cultura della prova, di senso del limite, di tolleranza intellettuale.

12
Domandare dubitando

La definizione del concetto di processo come categoria generale viene abitualmente riferita alla funzione di soluzione dei conflitti. Tale definizione coglie in termini astratti la ragione del processo, il perché del suo esistere nell'ambito delle collettività organizzate. In questa definizione non si individua però alcun elemento descrittivo dei modi, dei percorsi attraverso i quali il processo passa dalla posizione del conflitto alla soluzione del conflitto medesimo.

Questi modi e percorsi consistono – in estrema sintesi – nelle attività conoscitive volte a porre i fondamenti di fatto delle decisioni.

Su questa premessa è possibile definire il processo in generale, e il processo penale in particolare, come una struttura dinamica funzionalmente orientata alla produzione di conoscenze utili per la soluzione di conflitti.

In sostanza quindi si può affermare che all'essenza stessa del processo, e in particolare del processo penale, è connaturale l'attitudine a produrre conoscenza,[1] a produrre sapere.[2]

La produzione di conoscenze è la fase concettualmente

prodromica, o se si vuole il mezzo, per la soluzione dei conflitti.

All'evidenza la definizione del processo in genere come apparato per la produzione di conoscenze ha un carattere meramente descrittivo e non pone problemi particolari. Questa definizione taglia però fuori il tema del grado di attendibilità delle conoscenze prodotte e, in ultima analisi, del grado di corrispondenza di tali conoscenze alla verità. Questo tema si innesta e si identifica nella questione dei diversi modelli processuali e delle loro diverse attitudini a produrre conoscenze attendibili, saperi affidabili.

Non sembra dubbio comunque che le conoscenze, e in sostanza le verità, che produce il processo siano verità storiche e non scientifiche o formali.

Di nessuna verità storica, come peraltro di nessuna verità scientifica nella prospettiva del falsificazionismo popperiano,[3] è formalmente impossibile predicare il contrario, dovendosi da ciò desumere che il concetto di verità processuale sia ricostruibile, indirettamente, con una sorta di determinazione quantitativa delle probabilità contrarie.[4]

In definitiva, cioè, si può parlare di raggiungimento della verità nel processo solo laddove «le probabilità del contrario sono confinate in un'area così ristretta da essere convenzionalmente accettata».[5] Il ragionamento giudiziario, che ha la forma di una inferenza induttiva e non di un processo deduttivo, passa da una verità di premesse ad una rilevante probabilità delle conclusioni, senza che sia impossibile affermare l'impossibilità –

ma solo una rilevante improbabilità – che la detta conclusione, definita come vera, sia falsa.[6]

Accolta una simile nozione della verità processuale, sembra ormai culturalmente acquisito che il metodo più affidabile per produrla[7] sia quello proposto dal paradigma dialettico su cui si basa il processo accusatorio.

La possibilità offerta dal metodo dialettico di formazione della prova, di sottoporre a tentativi di falsificazioni le verità del processo nel momento stesso in cui esse si formano,[8] costituisce garanzia di resistenza di tali verità, elevando il grado di probabilità che la conclusione dell'induzione giudiziaria sia vera o (il che è lo stesso) riducendo il grado di probabilità che essa sia falsa.

In tale concetto risiede il senso della differenza fra metodo inquisitorio e metodo accusatorio, senso che va colto nei diversi percorsi di formazione della prova, la quale è in un caso prodotta da una ricerca solitaria e segreta;[9] nell'altro modellata dallo scontro di (proposte di) verità e tentativi di falsificazione.

A fronte dell'incedere per teoremi[10] del giudice inquisitore, il metodo dialettico porta con sé una fondamentale istanza di conoscenza critica che trova il suo punto di massima espressione nel momento e nella funzione del controesame.

L'atto del *domandare dubitando*, che sintetizza l'essenza e la ragione del controesame, costituisce espressione di libertà dai vincoli di verità convenzionali e, soprattutto, dai pericoli di decisioni precostituite. Esso è dunque momento fondamentale, e quasi metafora, di una ricerca laica e tollerante della verità praticata attraverso i modi dell'argomentazione e della persuasione.

Scriveva Norberto Bobbio: «La teoria dell'argomentazione rifiuta le antitesi troppo nette: mostra che tra la verità assoluta degli invasati e la non-verità degli scettici c'è posto per le verità da sottoporsi a continua revisione mercé la tecnica di addurre ragioni pro e contro. Sa che quando gli uomini cessano di credere alle buone ragioni, comincia la violenza».

Note

Capitolo 1

[1] A. Jay, *Machiavelli e i dirigenti di industria,* Milano, 1968, p. 95.

[2] P. Watzlawick, *La realtà della realtà. Comunicazione, disinformazione, confusione,* Roma, 1976, p. 7.

[3] Watzlawick, *ibidem.*

[4] G. Gulotta e P. Farinoni, *Modelli per la ricostruzione di eventi a fini processuali,* in *Interazione e comunicazione nel lavoro giudiziario,* a cura di A. Quadrio e D. Pajardi, Milano, 1993.

[5] In questo vi è una delle differenze significative del nostro sistema rispetto a quelli di *common law.* Nel vigente codice di rito la materia della prova orale è disciplinata da appena una ventina di articoli a fronte delle analitiche previsioni dei sistemi anglosassoni. Per alcuni utili spunti si veda: *Il processo penale negli Stati Uniti d'America,* a cura di E. Amodio e M. Ch. Bassiouni, Milano, 1988.

[6] L'espressione *competenza* è qui adoperata nel senso di abilità, di capacità di compiere adeguatamente una attività data.

Capitolo 2

[1] Sulla nozione di controesame distruttivo v. M. Stone, *La cross-examination. Strategie e tecniche,* Milano, 1990, pp. 207 sgg.; v. anche, con grande ricchezza di esempi pratici, F. L. Wellman, *The art of cross-examination,* New York, 1953, pp. 29 sgg.; spunti anche in D. Carponi Schittar e L. H. Carponi Schittar, *Modi dell'esame e del controesame,* I, Milano, 1992, pp. 231 sgg.

[2] Utili suggerimenti pratici per definire profili dei testi da controesaminare in: J. McElhaney, *Witness profile,* «ABA Journal», 81, 1995, pp. 102 sgg. Sul punto si veda comunque nel seguito il capitolo 10.

[3] V. sul punto K. F. Hegland, *Trial and practise skills in a nutshell,* St. Paul Minn., 1994², pp. 144 sgg.

[4] Hegland, *op. cit.*, p. 139. La traduzione è di chi scrive; l'originale americano è il seguente: «Never cross-examine to look busy ... If you can't make any points, consider the shrug: "I have no question of this witness, Your Honor". Practise the shrug; eventually you will be able to do it in such as way as to suggest that, not only has the witness not hurt you, but that the witness is beneath the contempt of the civilized world».

[5] Per approfondimenti sul punto si veda il capitolo dedicato a controesame e persuasione.

[6] Si vedano sul punto le riflessioni di un classico della materia: Welmann, *op. cit.*, pp. 27 sgg.

[7] Sono in parte diversi gli obblighi deontologici che, nella materia dell'assunzione della prova orale, gravano sul pubblico ministero e sul difensore. V. sullo specifico punto e in generale sulle problematiche deontologiche: Stone, *op. cit.*, p. 2; Carponi Schittar e Carponi Schittar, *op. cit.*, p. 227. Merita comunque di essere richiamata, perché pienamente condivisibile, la regola generale indicata da Emory Buckner (*Uses and abuses of cross-examination*, nella citata opera di Wellman): «nessun cliente può pretendere dal suo avvocato di conseguire un successo grazie alla sua superiore abilità nei confronti di un teste che lo stesso avvocato ritenga aver detto la verità».

[8] Si tratta in questi casi molto spesso di testimoni appartenenti a categorie deboli (minori, anziani, soggetti culturalmente arretrati, etc.) per i quali a maggior ragione si pone l'esigenza di adottare un atteggiamento di grande cautela.

[9] Wellman, *op. cit.*, p. 30. La traduzione è di chi scrive; l'originale americano è il seguente: «If the counsel's manner is courteous and conciliatory, the witness will soon lose the fear all witnesses have of the cross-examiner, and can almost imperceptibly be induced to enter into a discussion of his testimony in a fair-minded spirit, which, if the cross-examiner is clever, will soon disclose the weak points in the testimony. The sympathies of the jury are invariably on the side of the witness, and they are quick to resent any discourtesy towards him. They are willing to admit his mistakes, if you can make them apparent, but are slow to believe him guilty of perjury. Alas, how often this is lost sight of in our daily court experiences! One is costantly brought face to face with lawyers who act as if they thought that every one who testifies against their side of the case is committing wilful perjury. No wonder they accomplish so little with their cross-examination! By their shouting, browbeating style they often confuse the wits of the witness, it is true; but they fail to discredit him with the jury. On the contrary, they elicit sympathy for the witness they are attacking».

[10] Interessanti spunti sull'argomento in M. Hyam, *Advocacy skills*, London, 1995[4], p. 96.

Capitolo 3

[1] V. *supra*, p. 34.

[2] Inutile dire che, anche all'esito del controesame, non vi è la certezza che l'individuazione fotografica effettuata in questura fosse erronea e che, in altri termini, l'imputato nel processo in questione non fosse uno degli autori della rapina. Il risultato del controesame è di avere introdotto un dubbio ragionevole (ed anzi, nel caso di specie, decisamente consistente) nel quadro probatorio proposto dall'accusa.

[3] V. *supra*, p. 50.

[4] Per qualche ulteriore utile spunto sull'approccio amichevole e in particolare sui metodi per ottenere la massima sincerità possibile nelle risposte si veda E. Mira Y Lopez, *Manuale di psicologia giuridica*, Firenze, 1966, pp. 143 sgg.

[5] G. Gulotta, *Psicologia della testimonianza*, in *Trattato di psicologia giudiziaria nel sistema penale*, a. c. di G. Gulotta, Milano, 1987, p. 503.

Capitolo 4

[1] M. Sensini, *Grammatica della lingua italiana*, Milano, 1988.

[2] Per richiami sul concetto di *cross-examination* distruttiva v. n. 1 al capitolo 2.

[3] Utili suggerimenti pratici, sul punto, in Carponi Schittar e Carponi Schittar, *op. cit.*, pp. 355 sgg. e, soprattutto, in Wellman, *op. cit.*, pp. 96 sgg.

[4] «Non bisogna... cadere nella tentazione di esaltare ulteriormente il trionfo... tenendo presente che il bersaglio dell'azione demolitrice non è il testimone ma la testimonianza»: Stone, *op. cit.*, p. 218.

[5] «Quando hai fatto punto nel tuo controesame, fermati per amor del cielo»: Max Steuer, citato da P. M. Brown in *The Art of Questioning. Thirty maxims of cross-examination,* New York, 1987, p. 114.

[6] Stone, *op. cit.*, p. 170; aneddoti istruttivi sul punto in Brown, *op. cit.*, p. 9.

[7] Brown, *op. cit.*, p. 7.

[8] Raccontato da Hyam, *op. cit.*, p. 140.

Capitolo 6

[1] Sul punto v. *supra*, pp. 36-37.

[2] Stone, *op. cit.*, p. 170.

[3] Rispeto ad altro tipo di testimone si tende a suggerire l'approccio amichevole. Nel caso di un ufficiale di polizia giudiziaria che abbia reso una deposizione fondamentale l'approccio amichevole sembra di regola sconsi-

gliabile. L'ufficiale di polizia che abbia reso una simile deposizione è in genere consapevole dell'importanza del suo apporto e del danno che esso reca alla posizione dell'imputato. Date tali premesse, l'approccio amichevole apparirà sospetto e oggettivamente controproducente, non meno dell'approccio esplicitamente aggressivo.

[4] Hegland, *op. cit.*, p. 159: «Leading questions are not really questions at all; they are statements of fact followed by a question mark».

[5] Si pensi al caso di una *leading question* proposta per ottenere una risposta affermativa, alla quale, al contrario, il teste dia una risposta negativa senza che il controesaminatore abbia la possibilità di confutare tale risposta.

[6] Hegland, *op. cit.,* p. 162.

[7] Carponi Schittar e Carponi Schittar, *op. cit.*, p. 93.

Capitolo 7

[1] Articolo 8 della legge n. 203 del 12 luglio 1991, norma che disciplina l'attenuante speciale per i dissociati delle organizzazioni mafiose. Si veda inoltre l'art. 73 del D.P.R. 309/90 che, al comma 7, prevede una riduzione di pena dalla metà a due terzi (per i responsabili di traffico illecito di stupefacenti) «per chi si adopera per evitare che l'attività delittuosa sia portata a conseguenze ulteriori, anche aiutando concretamente l'autorità di polizia o l'autorità giudiziaria nella sottrazione di risorse rilevanti per la commissione dei delitti». Si veda altresì l'art. 74 del D.P.R. 309/90 che al comma 7, rispetto al delitto associativo, prevede analoga riduzione di pena per «chi si sia efficacemente adoperato per assicurare le prove del reato o per sottrarre all'associazione risorse decisive per la commissione dei delitti».

Capitolo 8

[1] D. Carponi Schittar, L. Harvey Carponi Schittar, *Modi dell'esame e del controesame,* III, Milano, 1996, pp. 203 sgg.

[2] L. De Cataldo Neuburger, *Tecnica dell'assunzione delle dichiarazioni nella fase delle indagini preliminari: il caso del minore.* Relazione presentata all'incontro di studio del Consiglio Superiore della Magistratura, *Tecniche di argomentazione e persuasione,* Frascati, 21-23 novembre 1996.

[3] Narrato da Hegland, *op. cit.*, p. 147.

[4] De Cataldo Neuburger, *ibid.*, p. 17: «... quando si tratta di bambini, il problema non può essere posto in termini assoluti – credere o non credere – perché all'interno di uno stesso contesto accusatorio possono coesistere, anzi coesistono, quasi sempre, cose vere e cose false, fatti reali e fanta-

sie, verità e menzogne. La difficoltà di valutare in sede giudiziaria la credibilità del minore dipende proprio da questa caratteristica delle sue dichiarazioni e dal numero, tutt'altro che irrilevante, di accuse rivelatesi, poi, false (la letteratura internazionale indica percentuali che vanno dal 23 al 33%)».

[5] Sul tema degli errori fatali si veda il capitolo 6.

[6] De Cataldo Neuburger (*ibid.*, p. 19) fornisce un utile prontuario di base su come parlare a un bambino, in situazioni investigative o processuali. Viene fra l'altro sconsigliato l'uso di frasi lunghe e complesse, di parole lunghe, di pronomi, di verbi al passivo, di forme negative o di doppie negazioni, di costruzioni ipotetiche. Viene al contrario consigliato l'uso di parole corte e di frasi elementari, di verbi attivi, di forme positive e di costruzioni dirette.

[7] Discutere, pur se con l'apparente formulazione di domande, con un teste costituisce sempre un errore. Nel caso dei bambini costituisce un errore grave come questo caso dimostra.

Capitolo 9

[1] Si noti come l'uso del *perché* generi un rallentamento del ritmo e una riduzione del controllo dell'esaminatore sulla interazione. Il teste coglie l'occasione e, rispondendo, si rivolge al presidente, quasi cercando un alleato e comunque cercando di sfuggire il confronto con il pubblico ministero.

[2] Si noti come questa domanda abbia l'esclusiva funzione di trasmettere un messaggio ai giudici, perché appaia chiaramente la direzione nella quale si muove l'esame. Per l'approfondimento di questi spunti si veda il capitolo 11.

[3] Inutile sottolineare come in molti casi lo strumento delle contestazioni non sia praticabile per l'inesistenza, nel fascicolo del pubblico ministero, di precedenti dichiarazioni del teste. Si pensi, per fare l'esempio più ovvio, ai testi citati dalla difesa e non precedentemente ascoltati.

[4] V. *supra* nel capitolo 5 per la distinzione fra domande suggestive in senso stretto e domande guidanti.

Capitolo 10

[1] Per una interessantissima applicazione dello studio della personalità del soggetto da esaminare alla strategia processuale vedi J. E. Douglas, M. Olshaker, *Mind Hunter,* New York, 1996, pp. 221 sgg.

[2] Utili suggerimenti pratici per definire profili dei testi da controesaminare in: McElhaney, *op. cit.*, pp. 102 sgg. In tale articolo si segnala tra l'altro

la necessità di annotare la qualità narrativa della deposizione, il modo di parlare, il tono di voce, il tipo di sguardo, eventuali messaggi non verbali del testimone in sede di esame diretto.

[3] Una decisa svalutazione dell'utilità della psicologia come disciplina scientifica nell'ambito del lavoro giudiziario è in Stone, *op. cit.*, p. 69.

[4] McElhaney, *op. cit.*, p. 102.

[5] È stato affermato nella letteratura psicologico-giuridica che «trasportando i risultati sperimentali nella fattispecie processuale, la possibilità di valutare la realtà o la menzogna è altamente discutibile: chi cerca di capire se una persona a lui sconosciuta sta mentendo oppure no, lo fa in modo appena superiore al puro caso»: G. Gulotta e L. De Cataldo Neuburger, *Strumenti concettuali per agire nel nuovo processo penale*, cap. 3, *Il testimone*, Milano, 1990, p. 161.

[6] Narrato da Hegland, *op. cit.*, p. 210.

Capitolo 11

[1] Per una rassegna di contributi su questi temi si veda *Interazione e comunicazione nel lavoro giudiziario*, a cura di A. Quadrio e D. Pajardi, Milano, 1993.

[2] Si vedano in particolare alcune riflessioni contenute nel capitolo 2, dedicato alla falsa testimonianza.

[3] G. Frigo, Articolo 496, in *Commento al nuovo codice di procedura penale*, Milano, 1989, p. 209.

[4] K. R. Popper, *Logica della scoperta scientifica. Il carattere autocorrettivo della scienza*, Torino, 1970.

[5] C. Perelman, L. Olbrechts-Tyteca, *Trattato dell'argomentazione. La nuova retorica*, Milano, 1962, p. 21.

[6] Già per Aristotele la dialettica argomentativa costituiva una sezione della logica, trattata nei *Topici* e nelle *Confutazioni sofistiche*. I ragionamenti di cui si occupa la dialettica sono ricostruibili secondo schemi sillogistici ma, «a differenza del sillogismo dimostrativo, che muovendo da premesse di cui è accertata la verità, dà luogo al sapere scientifico, il sillogismo dialettico muove da premesse la cui verità non sia previamente accertata, bensì soltanto possibile, cioè da tesi non manifestamente infondate, ammesse più o meno largamente»: *Enciclopedia di filosofia*, Milano, 1993, alla voce: *Dialettica*.

[7] N. Bobbio, prefazione a Perelman, Olbrechts-Tyteca, *op. cit.*

[8] V. sul punto le riflessioni in tema di *leading questions* contenute nel capitolo dedicato agli errori fatali.

[9] Letteralmente: avvocato da dibattimento.

[10] Brown, *op. cit.*, p. XVIII.

Capitolo 12

[1] Suggestivi spunti in prospettiva storica su processo e conoscenza e sulla contrapposizione fra verità e potere si trovano in M. Foucault, *La verità e le forme giuridiche,* Napoli, 1994.

[2] L'espressione, densa di implicazioni, è ripresa da E. Fassone, fra gli altri in *L'utilizzazione degli atti, la valutazione della prova,* in *Quaderni CSM,* 27, 1989, pp. 527 sgg.

[3] Sul concetto di falsificazione v. Popper, *op. cit.*

[4] F. Cordero, *Tre studi sulla prova penale,* Milano, 1963, p. 45.

[5] E. Fassone, *La valutazione della prova,* in *Manuale pratico dell'inchiesta penale,* Milano, 1986, p. 111.

[6] L. Ferraioli, *Diritto e ragione – Teoria del garantismo penale,* Bari, 1989, p. 108.

[7] Non casuale è la scelta del verbo *produrre* in luogo di verbi come raggiungere, acquisire, conoscere etc. Vedi, per l'approfondimento di tale tematica, Ferraioli, *op. cit.*, p. 24.

[8] Si è parlato al proposito di contraddittorio *per* la prova da acquisirsi, in contrapposizione al contradditorio, tipico del modello inquisitorio, *sulla* prova già acquisita. D. Siracusano, *Introduzione allo studio del nuovo processo penale,* Milano, 1989.

[9] Una definizione efficace è in Nappi, *op. cit.*, p. 10: «Il processo inquisitorio si fonda sul presupposto di una autosufficienza metodologica del giudice accusatore, che può ricercare e conoscere da solo una verità opponibile a tutti».

[10] A. Nappi, *Libero convincimento, regole di esclusione, regole di assunzione,* in *Quaderni CSM,* 50, 1992, p. 63.

Indice

L'arte del dubbio

Questo volume è stato stampato
su carta Palatina
delle Cartiere Miliani di Fabriano
nel mese di dicembre 2007
presso la Leva Arti Grafiche s.p.a. - Sesto S. Giovanni (MI)
e confezionato
presso I.G.F. s.r.l. - Aldeno (TN)

La memoria